Collection Théâtre en poche

ISBN 2-84523-031-1

Didier Lejeune

Le paradoxe de Zénon

LES ÉDITIONS DU LAQUET

À ma femme.

Acte I

Le rideau se lève au noir.

Bruits d'une voiture qui dérape. Choc, bruits de glace. Silence.

Lumière.

Un décor de forêt en pleine montagne. Une route étroite. Une automobile encore fumante accidentée contre un arbre sur le bas-côté. Un homme (Tommard) allongé par terre se tortille. Il est visiblement choqué et se tient l'épaule.

Tommard — Merde merde merde! Mais quel con!

Il se tourne vers la voiture puis se traîne sur quelques mètres pour s'éloigner de celle-ci.

Il s'examine le corps en se tâtant. Il se passe la main sur le visage et constate qu'il saigne légèrement. Il se frotte la cheville en grimaçant et regarde de nouveau ses mains.

En s'appuyant sur un coude, il se tourne de côté et tente de se lever. Ses jambes sont tremblantes et il paraît sur le point de perdre connaissance. Il s'écroule à bout de forces. Il relève la tête et observe les alentours d'une mine déconfite. Une branche traîne à ses pieds. Il la saisit. D'une voix chevrotante, il appelle à l'aide et s'écroule.

Noir.

Lumière.

Même endroit. La lumière du jour est plus faible. L'accidenté est toujours dans la même position.

Entre un homme (Malevitch) habillé en randonneur, portant un sac à dos et une canne à la main. Tout en sifflotant, il jette un coup d'œil aux alentours, se débarrasse de son sac, et se rapproche de l'accidenté. Du bout de sa canne il tâte le derrière de Tommard.

Malevitch — Regardez-moi ce gros lapin.
Tommard sort de sa léthargie et ouvre un œil sur Malevitch.

Tommard — Hein…?

Malevitch — Oh pardon, je vous croyais mort.
Il s'accroupit près de Tommard et l'aide à se redresser. Ce faisant, il le manipule et l'examine comme un vulgaire gibier. Tommard encore groggy se laisse faire docilement en poussant quelques gémissements.

Il finit par s'asseoir et reprend peu à peu ses esprits. Malevitch, debout derrière lui, se tourne et observe la voiture.

Malevitch — Un mètre soixante-neuf. Je ne vous donne pas un centimètre de plus.

Tommard — Quoi?

Malevitch — Votre taille mon ami, votre taille ne doit pas dépasser un mètre soixante-neuf.

Tommard — Oui, mais qu'est-ce qui se passe là?

Malevitch — Ah, vous voyez. Je ne me trompe pour ainsi dire jamais. Et vous conviendrez que cette évaluation n'était pas des plus aisées car vous êtes assis. Vous n'imaginez pas ce que l'on peut rencontrer comme variétés de longueurs de jambes. Enfin, pour être tout à fait honnête, les petits gros de votre espèce ont rarement de longues jambes.

Tommard — Qu'est-ce que vous me racontez-là. Vous voyez pas que j'ai eu un accident ?

Malevitch — *(il se place en face de lui et lui tend la main sans se baisser)* Cyprien Malevitch.

Tommard tente d'attraper la main tendue. Il semble souffrir d'une épaule. Au moment où il parvient, après un effort douloureux, à sembler pouvoir saisir la main de Malevitch, celui-ci la retire prestement. Il ouvre sa parka et en sort une petite bouteille qu'il débouche et tend à Tommard.

Malevitch — Tenez, buvez ça.
Tommard s'en saisit. Malevitch se penche et laisse traîner le dos de sa main sur une joue de Tommard. Comme une caresse.

Malevitch — *(un peu déçu)* Vous êtes à peine égratigné.
Tommard a un mouvement de recul, dégage sa tête et porte la bouteille à sa bouche. Il boit une gorgée et la recrache.

Tommard — C'est fort ce machin.

Malevitch — C'est de l'eau-de-vie du pays. Je vous croyais mort alors je vous offre de l'eau-de-vie.

Tommard — J'ai de la bière dans le coffre si vous voulez.

Malevitch — Bouleversant! Vous êtes absolument bouleversant! Voilà quelqu'un qui se sort quasiment indemne d'un accident mortel et qui pense à sa bière tiédasse au fond de son petit coffre cabossé.

Tommard — *(à lui-même)* Je dois avoir tout un tas de fractures.

Malevitch lui arrache le flacon des mains et le range.

Malevitch — Ah non, je vous en prie, pas d'a priori.

Du bout de sa canne, Il désigne et touche les parties du corps de Tommard qu'il commente.

Malevitch — Quelques ecchymoses et excoriations, vraisemblablement la clavicule...

Tommard — Aïe, mais vous me faites mal!

Malevitch — ... un léger choc crânien et une entorse à la cheville.

Tommard — Mais arrêtez!

Malevitch — Que les gros sont douillets.

Tommard — Vous êtes toubib ou quoi?

Malevitch — *(en se baissant pour lui prendre le menton)* Cela vous ferait plaisir?

Tommard — Mais arrêtez de me toucher sans arrêt comme ça! Vous voyez bien que je suis blessé. Vous pourriez pas aller chercher du secours plutôt que de me tourner autour?

Malevitch retourne vers son sac et l'ouvre avec application. Il en sort quelques vêtements et une grosse trousse. Puis il remet soigneusement ses vêtements dans son sac et revient vers Tommard, sa trousse à la main.

Malevitch — Vous m'êtes finalement sympathique vous savez. Tout à l'heure lorsque je vous ai vu pour la première fois vous me faisiez plutôt pitié. On aurait dit un gros scarabée en train d'agoniser sur le dos. C'est repoussant mais plutôt excitant. On met son talon au-dessus de la bête aux pattes encore frémissantes. On entend déjà dans sa tête le craquement que ferait la carapace sous une simple pression du pied. Et puis non, finalement on repose son pied à côté et on s'accroupit pour voir l'animal de plus près.
Mais c'est qu'il vit encore le bougre ! Et il n'est pas si vilain que cela. De jolis reflets bleus métallisés sur la carapace, une sorte de naïveté attendrissante dans ces deux petits yeux ronds suppliants.
Tommard soudain inquiet saisit la branche de son bras valide.

Malevitch — N'aie pas peur petite bestiole. Je vais m'occuper de toi.

Tommard — Un cinglé, c'est un cinglé !

Malevitch — Comment t'appelles-tu monsieur ?

Tommard — Bertrand Tommard. Allez chercher du secours je vous en prie.
Malevitch répète le nom, rêveur et ouvre la trousse.

Malevitch — Avant toute chose les premiers soins monsieur Tommard, les premiers soins…
Il prend dans sa trousse de quoi faire un bandage.

Malevitch — Rien ne sert de courir monsieur Tommard. Vous connaissez la fable.
Il revient aux côtés de Tommard et lui déplie délicatement la jambe. Tommard semble un peu

effrayé mais se laisse faire en grimaçant. Tout en bavardant, Malevitch lui ôte chaussure et chaussette, examine la cheville, dépose un produit dessus et enroule une bandelette autour de celle-ci.

Malevitch — Et le paradoxe de Zénon, monsieur Tommard, vous le connaissez?

Tommard — Doucement. Non c'est quoi ça?

Malevitch — *(animé)* Alors laissez-moi, vous raconter comment j'ai résolu le paradoxe. Zénon est un philosophe grec. Pour illustrer son propos, il met en scène deux personnages : Achille, un guerrier grec des plus athlétiques, et une tortue.

Tommard — Ah oui?

Malevitch — Dans son histoire, il organise une course entre les deux protagonistes. Bien sûr, comme la tortue court moins vite, on lui donne une avance d'une cinquantaine de mètres. Et hop, le départ est donné. Levez la jambe je vous prie.

Tommard — Aïe.

Malevitch — En quelques bonds, Achille atteint le point de départ de la tortue. Celle-ci n'est plus qu'à cinq mètres devant le guerrier.

Tommard — Pas trop serré hein.

Malevitch — En une fraction de seconde, Achille a atteint ce point. Seulement voilà, la tortue a profité de ce bref moment pour avancer légèrement. En un éclair, Achille couvre cette distance. Mais aussi bref soit-il, la tortue a quand même progressé de quelques centimètres, donc Achille est toujours derrière. En résumé, Zénon démontre qu'Achille ne rattrapera jamais la tortue car cette course poursuite se répète un nombre infini de fois! Extraordinaire non?

Tommard — Ah?

Malevitch — *(agacé)* En d'autres termes, le principe énoncé explique que pour aller de A à B on doit d'abord parcourir la moitié de la distance, ce qui se réalise une fois que l'on a couvert la moitié de la moitié, et ainsi de suite. Vous comprenez Tommard?

Tommard — Vous savez, je viens d'avoir un accident, alors heu…

Malevitch — *(irrité, sec, professoral)* Non. Vous ne comprenez rien. Je le vois bien. Écoutez, faites un effort mon vieux! Concentrez-vous! Bon, *(il fait de grands gestes et parle lentement comme à un demeuré)* vous êtes au point A et vous désirez aller au point B. *(Il marche vers son sac posé à quelques mètres de là, laissant en plan la cheville de Tommard)* Pour aller de A à B, vous devez d'abord parcourir la moitié du chemin. *(Il se retourne vers Tommard et s'arrête au milieu du parcours en le considérant).*

Tommard hoche la tête sans conviction

Malevitch — Ah ne dites pas oui si vous ne comprenez rien, c'est encore pire! Oubliez le côté concret. Concentrez-vous sur le discours. Les mots. Le concept.

Il revient au côté de Tommard.

Malevitch — Je veux aller jusqu'au sac. *(Il marche et s'arrête au milieu du trajet)* Vous êtes d'accord que le passage obligé est ici?

Tommard — Oui.

Malevitch — Bon, mais avant d'arriver ici, *(il revient vers Tommard en s'arrêtant au milieu de la distance qui le sépare de Tommard)* vous devez être passé par ce point-ci. Et avant ce point, celui-ci ! *(Il répète l'opération en sautant sur le nouveau point et reste en équilibre sur la pointe des pieds)* Et encore avant, celui-ci, et celui-ci. *(Il jette un œil à Tommard, se met à quatre pattes et désigne un point avec le doigt en se penchant sur le sol)* Et avant, celui-ci et celui-ci. En fin de compte, *(il se relève et s'époussette les mains)* vous devez parcourir une infinité de points et par conséquent vous n'atteignez jamais votre but !

Tommard — Mmmoui.

Malevitch — *(reprenant ses soins et parlant calmement)* Voilà pourquoi Achille ne rattrapera jamais la tortue.

Tommard — Hmmm.

Malevitch — C'est le même principe auquel on associe l'idée de mouvement.

Tommard baisse les yeux sur sa cheville.

Malevitch — Eh bien voici comment moi, j'ai résolu le paradoxe. Il suffit de remplacer Achille par… Pinocchio !

Tommard — Ah, je connais.

Malevitch — Reprenons la course au départ. En quelques enjambées, Pinocchio a refait l'avance accordée à la tortue qui elle a progressé de quelques centimètres. Jusque-là, rien de changé. Seulement voilà, Pinocchio ne se contente pas de courir monsieur Tommard, non, il parle, et plus précisément, il ment. Et il ment tant et si bien que son nez ne cesse de pousser. Il pousse avec tant de vigueur que même si ses pieds, selon Zénon, ne peuvent parvenir à rattraper la tortue, son nez, lui, propulsé par un débit intarissable de mensonges réussit à atteindre la tortue et à la dépasser !

Et voilà, n'est-ce pas remarquable monsieur Tommard ? Le mensonge. *(Triomphant)* Le mensonge vient à bout du paradoxe.

Il se relève et inspecte d'un air satisfait le bandage terminé.

Tommard — Dites donc Doc, vous êtes un peu spécial mais vous maniez rudement bien la bandelette.

Malevitch — Vous n'aimez pas les paradoxes n'est-ce pas ?

Tommard — Bof.

Malevitch — Pourtant, nous sommes tous de merveilleux bâtisseurs de paradoxes.

Tommard écarquille les yeux.

Malevitch — Oui, vous comme moi. Tenez, moi par exemple. J'éprouve une adoration pour le mensonge. Eh bien si je vous avoue être un fieffé menteur, vous me croyez ?

Tommard — Bah oui.

Malevitch — Vous croyez donc un menteur Tommard ?

Tommard fronce les sourcils, manifestement perturbé.

Au bout d'un moment.

Tommard — Ah, non !

Malevitch — *(amusé de son effet)* Vous ne me croyez pas lorsque je vous dis que je suis un menteur?

Tommard — Non.

Malevitch — En somme, pour vous, je ne suis pas un menteur!

Tommard — *(contrarié)* Mais si!

Malevitch — Ne soyez pas fâché Tommard. Vous aussi vous êtes paradoxal.

Tommard — Ah oui?

Malevitch — Il n'y a qu'à vous regarder. Avec votre tête d'oiselet tombé du nid. Vous êtes bien là, bien vivant. Et pourtant vous savez à quoi vous me faites penser?

Tommard — À quoi?

Malevitch — À rien. Néant. Le vide total.

Tommard — Très drôle.

Malevitch — L'anti-matière.

Tommard — Bon, allez...

Malevitch prend une boîte de comprimés de sa trousse et la tend à Tommard.

Malevitch — Prenez ça.

Tommard — *(renfrogné)* C'est quoi?

Malevitch — Anti-inflammatoires.

Tommard ouvre la boîte et examine la notice puis la plaquette de pilules. Rassuré, il en sort une et l'avale.

Tommard — Vous êtes un vrai saint-bernard vous.

Malevitch — Prenez-en plutôt deux.

Tommard s'exécute.

Tommard — *(inquiet)* Dites docteur, c'est quoi les exorcations dont vous avez parlé tout à l'heure?

Malevitch — Excoriations pas exorcations. Les excoriations sont des égratignures. Tout simplement.

Tommard — *(soulagé)* Vous les toubibs, vous employez toujours de ces expressions!

Malevitch — J'emploie les mots justes Tommard. Je déteste les approximations. Les approximations sont les béquilles des réflexions boiteuses.

Tommard — *(se tâtant le haut du crâne)* J'espère que j'ai pas pris un mauvais coup à la tête.

Malevitch — Vous voulez dire tout à l'heure ou à votre naissance?

Tommard — Docteur, je dois vous dire...

Malevitch — Oui?

Un temps durant lequel Tommard semble hésiter à se confier puis choisit de se taire.

Tommard — Non rien.

Malevitch — *(enfantin)* Et si vous n'étiez plus de ce monde?

Tommard — Quoi? Qu'est-ce que vous voulez dire?

Malevitch — Mais si, vous savez, cette histoire classique de l'accidenté qui croit rouvrir les yeux dans le monde des vivants et qui en fait se retrouve au ciel. Aux portes du Paradis.

Tommard — Et vous seriez qui, vous, dans tout ça?

Malevitch — Un ange.

Un temps.

Tommard — Gardien ou exterminateur ?

Malevitch — Non, une sorte de fonctionnaire de Dieu. Quelqu'un chargé d'apprécier la valeur de votre passage sur terre.

Tommard — Excusez moi, mais vous n'avez pas du tout la tête de l'emploi.

Malevitch — Pourquoi donc ?

Tommard — C'est pas l'image que j'ai du Paradis et encore moins d'un saint.

Malevitch — Ah, mais qui vous parle de Paradis ? Vous êtes bien présomptueux ! Vous êtes à la frontière, en zone neutre : une Suisse céleste, entre Enfer et Paradis. À gauche : *(il écarte un bras pour désigner sa gauche)* la félicité, à droite : *(il écarte l'autre bras en conservant le gauche à l'horizontale)* les flammes éternelles. *(Il rapproche les bras vers son corps et joint ses mains pour une prière)* Confessez-vous mon enfant, l'heure des braves a sonné.

Il s'anime d'une sorte de compassion caricaturale en marchant à petits pas de moine et en penchant la tête de côté. Il parle d'une voix mièvre.

Malevitch — Mon fils, mon frère, il est temps pour toi de demander pardon pour tous tes pêchés. As-tu sacrifié tes genoux à la prière ? As-tu, de ton sang, écrit le nom du Divin sur la poussière qui t'a enfanté ?

Tommard — Désolé, mais je ne crois pas du tout à ces trucs-là.

Malevitch — *(redevient lui-même)* L'intérêt n'est pas d'y croire mais de le vivre. En jouant avec suffisamment d'intensité, on finit par oublier que l'on joue et la fiction devient réalité. Je vous offre du rêve, Tommard, pas de l'illusionnisme de foire.

Tommard — Vous êtes gentil mais moi j'en veux pas d'un rêve où je suis mort.

Malevitch — Allons, vous n'êtes tout de même pas à plaindre. Vous n'avez pas souffert, vous n'êtes que partiellement et provisoirement handicapé et vous êtes en compagnie d'une créature compréhensive !

Tommard — Je me verrais mieux avec deux ou trois infirmières là, vous voyez.

Malevitch — Mais je ne vous propose pas une partie de compresses avec des infirmières moi mon vieux ! Il s'agit du salut de votre âme !

Tommard — Oui, eh bien justement mon âme elle vous salue !

Malevitch — Trop aimable. Pour vous ce sera la première à droite.

Tommard — Vous connaissez le chemin à ce que je vois.

Malevitch — Très juste ! Les jardins du Paradis et les fleuves de l'Enfer n'ont plus aucun secret pour moi. Je suçote les orteils du diable, je souffle sur la mèche rebelle du bon Dieu et je caresse le sexe des anges.

Tommard — Quel programme !

Malevitch — Attendez de connaître le vôtre !

Tommard — Vous allez réussir à me faire peur.

Malevitch désigne la voiture accidentée.

Malevitch — Votre voiture, c'est un modèle récent ?

Tommard — M'en parlez pas, je viens de l'avoir.

Malevitch — *(il se rapproche de la voiture sous le regard de Tommard)* Elle roule peut-être encore.

Tommard — On peut toujours essayer.

Malevitch parvient à ouvrir le capot cabossé. Il est en partie masqué par celui-ci.

Tommard — Qu'est-ce que vous fabriquez ?

Malevitch — J'adore farfouiller dans les moteurs. C'est mystérieux un moteur. Vous ne trouvez pas ? Tout cet enchevêtrement de pièces, toute cette mécanique qui déploie tant de puissance. J'aime plonger ma main dans les viscères du moteur. Lorsque j'étais petit garçon, je passais des heures au bord de la mer, à marée basse, au milieu des mares. Je plongeais ma main sous les algues dans le creux d'un rocher, et je devais toujours en ressortir quelque chose. Un coquillage, un crabe, des choses bizarres, parfois visqueuses. C'était follement excitant.

Il tire sur quelque chose et réapparaît en brandissant un réseau de câbles arrachés du moteur.

Tommard — Bon dieu, mais qu'est-ce que vous faites ?

Malevitch — *(en jetant sa "pêche" au loin)* Je joue monsieur Tommard, je joue.

Tommard — Mais vous êtes malade !

Tommard est effrayé et sur la défensive.
Malevitch tourne autour de lui pour le narguer.

Malevitch — Je vous fais peur Tommard ?

Tommard — Ne m'approchez pas. Je raconterai tout aux forces de l'ordre.

Malevitch — *(conciliant mais mielleux)* Mais je veux vous aider moi. Je vous ai dit tout à l'heure que je vous trouvais sympathique. Vous ne devriez pas remuer comme ça dans l'état où vous êtes.

Tommard — *(regardant la boîte de médicaments avec méfiance)* Qu'est-ce que vous me voulez ? Pourquoi vous avez fait ça ?

Malevitch — Les risques d'explosions, monsieur Tommard. Des connexions électriques, de l'essence qui s'est répandue un peu partout. Je veille à ce que plus rien ne puisse vous arriver. Plus rien.

Tommard — Je ne vous crois pas.

Malevitch — Je vais vous faire un aveu monsieur Tommard. Je n'aime pas votre nom. Je souhaiterais vous appeler Colin. Qu'en dites-vous ?

Tommard reste un instant muet, le regardant avec surprise.

Malevitch — Vous n'êtes pas obligé de répondre tout de suite.

Il s'assied à côté de lui, les mains croisées sur ses genoux.

Malevitch — Que faites-vous à Lyon monsieur Tommard ?

Tommard le regarde avec des yeux ronds.

Malevitch — Allons monsieur Tommard, j'ai vu votre plaque d'immatriculation. Bon, laissez-moi deviner. Une bonne voiture, ce qu'il reste d'un costume pas trop mauvais marché.
(Il touche l'étoffe du pantalon.)
Pas beaucoup de classe, mais du bon sens. Une bonne tête de bon petit bourgeois. Je me trompe ?

Tommard ne bronche pas. Malevitch s'enflamme.

Malevitch — Attendez, attendez, heu... le com-
merce. La vente. Oui, la vente. Vous adorez ça.
Le contact avec les gens, le petit défi qu'on se
lance à soi-même pour décrocher un nouveau
marché. Quelques histoires drôles, du cul, des
Belges, des Juifs. Les bases pour établir des rela-
tions durables. Les points de repère qui veulent
dire " Vous voyez, vous riez. On est semblables.
Faites-moi confiance." Bien sûr, parfois vous
transpirez plus que d'habitude, alors forcément,
ça sent un peu fort. Mais comme on dit, hein,
faut bien mouiller sa chemise. Sacré Tommard
va, elle est bien bonne celle-là !

Il se lève et se dirige vers la voiture.

Malevitch — Mais qu'est-ce qu'il vend le petit père
Tommard ? Du pinard, des sous-vêtements, des
tracteurs ?

*Il arrive derrière la voiture, ouvre violemment le
coffre puis en inspecte le contenu.*

Malevitch — Des saucissons !

*Il sort triomphalement deux saucissons qu'il fait
pendre par leur ficelle.*

Malevitch — Tommard, le roi de la saucisse
sèche !

*Tommard jusque-là prostré et soumis au discours
méprisant de Malevitch est soudain pris d'un rire
nerveux et libérateur.*

*Malevitch est stoppé net dans son exaltation et
regarde avec susceptibilité Tommard se plier
douloureusement en deux de rire. Il regarde à
nouveau dans le coffre et en sort une boîte car-
tonnée.*

Malevitch — Qu'est-ce que c'est que ça?

Tommard — *(moqueur et reprenant peu à peu confiance en lui)* Vous savez que vous m'avez fait peur monsieur Malevski. J'ai bien cru un moment que vous étiez euh… le diable quoi! Vous débarquez comme ça de je ne sais où, vous m'insultez, vous me soignez, vous voulez m'appeler Colin, vous me racontez des histoires de Xénon…

Malevitch — *(sec)* Zénon. Zénon d'Elée.

Tommard — Et puis maintenant cette idée grotesque et cette histoire de saucissons.

Malevitch — *(il met un saucisson dans une poche et se saisit d'une seconde boîte en carton)* Qu'est-ce que c'est Tommard?

Tommard — Ça, monsieur le détective, ce sont des RAM.

Il savoure un instant sa victoire.

Tommard — *(avec un accent ridicule mais sur un ton précieux)* Random Access Memory. De la mémoire. De la mémoire pour ordinateur, monsieur Xénon.

Malevitch déchire sauvagement le carton d'une boîte. Il ôte l'emballage de protection et découvre une barrette de mémoire saucissonnée dans du papier bulle.

Tommard — *(moqueur)* Non, je ne suis pas dans la charcuterie mais dans l'informatique. Je fournis l'accessoire et l'essentiel. Sans moi, des tas d'entreprises pourraient pas stocker leurs précieuses informations. Et je ne suis pas le petit représentant que vous décriviez tout à l'heure. Je suis ingénieur commercial, moi. Pendant que vous jouiez à fouiner dans vos mares d'eau dégueulasses, je décortiquais les ordinateurs moi, monsieur. Ces machines n'ont plus aucun secret pour moi.

Un temps durant lequel Malevitch accuse le coup et Tommard goûte sa victoire.

Malevitch — *(agacé)* Je déteste cette idée de mémoire pour machine. Je trouve ces ordinateurs méprisables, cette invention est rabaissante. Détrompez-vous Tommard, j'en connais suffisamment pour savoir que ces machines fonctionnent de façon binaire. Zéro, un. Oui, non. Blanc, noir. Nous autres humains ne sommes ni blancs ni noirs Tommard, nous sommes gris. Nous ne fonctionnons pas au blanc et au noir, mais à la matière grise. Avec nuances, par petites touches subtiles. À part vous, peut-être.

Il replonge dans le coffre et balance d'autres boîtes à l'extérieur.

Tommard — Mais arrêtez! Qu'est-ce que vous foutez encore. Arrêtez, bon sang.

Il tente de se retourner complètement et lève le bras pour lui faire signe de stopper. Mais il ne peut le lever et est pris d'une violente douleur à l'épaule. Il pousse un cri.

Malevitch, stoppé dans sa furie, abandonne aussitôt ses boîtes, se rapproche de lui et s'accroupit compatissant. Il lui prend délicatement la main. Tommard semble souffrir atrocement.

Malevitch lui parle doucement et amicalement, comme à un enfant.

Malevitch — Détendez-vous Colin. Le docteur Malevitch va vous soigner.

Il saisit la main de Tommard et lui tend lentement le bras en se relevant. Tommard affaibli par la douleur se laisse faire.

Malevitch — Là… voilà.

Lorsque le bras est tendu, Malevitch place rapidement son pied contre la poitrine de Tommard et tire un violent coup sur le bras.

Tommard pousse un hurlement de douleur et s'effondre en sanglotant. Malevitch a lâché prise. Il va s'asseoir à quelques mètres de lui, sort le saucisson de sa poche, prend un canif dans son sac qu'il a entre les jambes et coupe des rondelles qu'il mange paisiblement.

Ils n'échangent aucune parole pendant un moment. Tommard reste prostré et Malevitch jette de temps à autre un regard sur lui comme s'il attendait qu'un enfant ait passé sa colère ou sa bouderie.

Tommard émerge peu à peu de son malheur et redresse la tête en reniflant. Il observe un instant Malevitch qui regarde droit devant lui, pensif, mastiquant ses rondelles de saucisson.

Au bout d'un moment…

Tommard — *(voix faible, accablé)* Qu'est-ce que vous m'avez fait encore?

Malevitch tourne la tête vers lui, le regarde hautain, termine ce qu'il a dans la bouche et parle d'un ton froid et détaché.

Malevitch — Je vous ai remis l'épaule en place.

Tommard ferme les yeux comme s'il se rappelait la douleur éprouvée.

Un temps.

Tommard — Dites, vous êtes un vrai toubib alors?
Il remue doucement son épaule et semble constater malgré quelques grimaces, une certaine amélioration.

Malevitch se lève et vient vers lui. Il coupe une tranche de saucisson et la lui tend sans un mot.

Tommard — *(soulagé)* J'ai quand même eu une sacrée dose de chance dans mon malheur. Je ne me sors pas trop mal d'un accident en pleine cambrousse et je tombe sur un toubib qu'a tout un tas de pharmacies dans son sac.
Malevitch retourne vers son sac et en sort un tube de pommade.

Malevitch — Enfin des paroles sensées. Il faut mettre un peu de pommade sur l'épaule, ça va vous faire du bien.

Tommard — Comment ça se fait que vous vous trimbalez avec tout ça?
Malevitch s'agenouille à ses côtés.

Malevitch — *(il lui montre le tube)* Je peux?

Tommard — Après le mal de chien que vous m'avez fait, je crois que je risque plus rien.

Malevitch — Bougez un peu l'épaule.
Tommard s'exécute. Malevitch pose doucement sa main sur celle-ci.

Malevitch — Cela me paraît convenable. Encore un peu douloureux, mais c'est normal.
(Il désigne la cravate) Allez, enlevez moi ça.
Tommard essaye maladroitement de défaire le nœud de la main gauche.

Malevitch se déplace derrière lui.

Malevitch — Vous permettez?

Il retire délicatement la cravate en donnant le tube à Tommard.

Malevitch — Vous n'êtes pas marié monsieur Tommard?

Tommard — *(sur le ton de la confidence amicale)* Je l'ai été doc, J'ai donné.

Malevitch lui déboutonne le haut de sa chemise.

Malevitch — Des enfants?

Tommard — Non, zéro.

Malevitch dégage l'épaule meurtrie de Tommard qui tient le tube débouché.

Malevitch — Donnez.

Il met un peu de pommade sur sa main, rend le tube à Tommard et applique le produit en massant l'épaule du bout des doigts.

Malevitch — C'est amusant, je vous imaginais plus poilu du dos.

Tommard se fige, tourne un peu la tête pour tenter de voir Malevitch dans son dos.

Tommard — Hé dites, pas de sale coup hein!

Malevitch — Vous avez de la famille?

Tommard — Non. Plus personne. D'ailleurs c'est bien simple, et je dis pas ça pour qu'on me plaigne, mais si j'avais dû y rester, dans ce stupide accident, je peux vous assurer qu'y a pas un quidam qui se serait inquiété de mon absence.

Malevitch — *(en reprenant de la pommade)* Même pas votre ancienne femme?

Tommard — Cette salope?

Malevitch — Ah non mon ami, non. Ne traitez pas une femme de salope ! C'est un peu réducteur. Les femmes sont des êtres bien plus complexes que cela. Ce sont des animaux remarquables qui mettent leur intelligence et leurs instincts au service de leur séduction. Elles sont admirables à ce petit jeu. Dangereuses, très dangereuses. Vous les verriez en consultation.

Il masse maintenant l'épaule à pleine main

Malevitch — Vous les croyez soumises à l'autorité médicale mais il n'en est rien. Ce sont elles qui vous imposent leur jeu. Tout est maquillé chez la femme. Leur pudeur, leur naïveté, leurs sentiments, leurs opinions, leurs faiblesses. Excepté peut-être une chose : leurs angoisses. Ah ça, les angoisses du miroir. Savez-vous pourquoi les femmes sont atteintes de constipation Tommard ? Eh bien je vais vous le dire moi. Toutes ces questions angoissantes qui ne cessent de les tourmenter. M'a-t-il regardé ? Suis-je encore attirante ? Cette robe, ce rouge à lèvres, ces lunettes, cette nouvelle coiffure, ma démarche, ma façon de rire, de parler, de regarder, d'écouter, toutes ces choses me rendent-elles encore plus désirable ? Tous ces attributs me rendent-ils " fémininement correcte " ?
Savez-vous où se trouve le berceau de toutes ces préoccupations Tommard ?

Il met son autre main sur le ventre de Tommard.

Malevitch — Ici même. Le nombril. L'ego. Elles y emmagasinent tant d'angoisses que leur transit intestinal ne peut s'exécuter convenablement et qu'il finit lui-même par être source d'angoisses.

26

Il reprend encore de la pommade et masse maintenant l'épaule de Tommard avec une ambiguë gourmandise.

Malevitch — Ah mon bon Colin, les hommes sont si différents. Inférieurs certes, mais tellement plus attachants. Lorsqu'ils arrivent en consultation, tout penauds d'être malades. N'osant à peine ôter leur veste. Rougissant dès qu'on aborde le sujet de leurs selles. Gênés de vous dévoiler leur dentition peu soignée…

Tommard constate les manières pressantes de Malevitch et tente de se dégager.

Tommard — Hé ! Non mais. Ça suffit maintenant !

Malevitch s'écarte en contenant son trouble.

Un temps.

Malevitch — Vous n'aimez pas que l'on vous passe la pommade ?

Tommard — Non mais oh ! *(Il tourne son index sur sa tempe).*

Malevitch se lève, sort un mouchoir avec lequel il s'essuie les mains, puis se munit de son saucisson et de son canif.

Tommard — Ne me touchez pas ou je cogne !

Il se ressaisit de son bâton.

Malevitch — *(amusé)* Vous êtes ridicule mon pauvre vieux, vous agresseriez votre ange gardien.

Malevitch fait mine de le menacer avec la pointe de son canif comme un escrimeur.

Malevitch — Cela creuse, la montagne.

Tommard — Vous êtes malsain. Votre petit laïus sur les hommes et les femmes, votre façon de me tripoter... Foutez le camp! Allez chercher du secours.

Imperturbable, Malevitch se coupe une rondelle de saucisson.

Malevitch — Détendez-vous. Je vous ai dit que tout allait s'arranger. Voulez-vous que j'aille vous chercher une petite bière?

Tommard — *(il réfléchit un instant)* Non, plutôt une cigarette... dans la voiture.

Malevitch pénètre dans la voiture, saucisson et canif à la main. Il disparaît presque derrière la portière entrouverte.

Tommard — *(d'une forte voix)* Devant. Près du tableau de bord. À côté du téléphone.

En s'entendant prononcer le mot de téléphone, Tommard hurle.

Tommard — Bon sang! Le téléphone!

Il tente de se lever sans succès.

Tommard — Vite, essayez d'appeler les secours! *Malevitch visiblement penché à l'intérieur de la voiture fait un signe de la main. Tommard est excité et braille.*

Tommard — Vous appuyez sur la touche en haut à gauche. Celle avec le téléphone dessiné dessus. Ensuite, vous tapez le code. 5537, et vous avez la tonalité. *(Plus fort)* 5537!

Malevitch — *(voix lointaine mais puissante)* Quel numéro désirez-vous?

Tommard — *(impatient)* Les flics ou les urgences.

Malevitch — Je ne connais pas les numéros!

Tommard — *(sans hésitation)* Le 15 ou le 17! *Après un court moment, Malevitch apparaît dans l'ouverture de la portière. Il tient le combiné dans la main gauche collée contre son oreille et regarde dans la direction de Tommard, sourire aux lèvres.*

Malevitch — Allô? La police? Bonjour, Docteur Malevitch à l'appareil. Oui. Voilà, je suis actuellement au bord d'une route avec quelqu'un qui vient d'avoir un accident. Oh, pas très grave non. Quelques égratignures, deux ou trois hématomes et une entorse à la cheville. Je me suis personnellement occupé des premiers soins. Bon, mais il ne peut guère bouger. Oui. Alors voilà, il me charge de vous dire qu'il se débrouille très bien tout seul avec moi.

Tommard — Mais qu'est-ce que vous dites!

Malevitch — Il ne désire aucune aide. Il souhaite juste que je le soigne, le bichonne, le dorlote, que je lui fasse sa rééducation…

Tommard — Mais arrêtez! Vous êtes fou!

Malevitch — Ah, ne quittez pas, je crois qu'il veut vous dire quelque chose.
Il sort de la voiture avec l'appareil à la main en tendant le fil avec l'autre main. Comme il se rapproche, nous constatons que le fil est sectionné. Il s'approche de Tommard paralysé et une fois de plus anéanti, et lui tend l'appareil en souriant.

Tommard — *(désespéré)* Écoutez. J'en peux plus. Arrêtez ce petit jeu. Si c'est de l'argent que vous voulez, je vous donnerai ce que vous désirez. Je peux vous faire un chèque. Je…

Malevitch jette le téléphone dans les buissons.

Malevitch — Vous êtes grossier Tommard. Et
vous m'insultez.

*Il sort les cigarettes de sa poche et les donne à
Tommard. Celui-ci s'en allume une pendant que
Malevitch retourne à la voiture et ressort avec
son saucisson et son canif.*

Tommard — À quoi ça rime tout cela?

Malevitch — Vous manquez d'humour Tommard.
Le boîtier du téléphone était arraché. Je vous
rappelle que vous êtes rentré dans un arbre.
Silence.

Tommard — Pourquoi aucune voiture n'est
encore passée par ici?

Malevitch — Cette route n'est pas fréquentée.

Tommard — Vous êtes du coin?

Malevitch — J'habite le village en bas.

Tommard — Vous?

Malevitch — Moi et une soixantaine d'âmes.

Tommard — Vous êtes médecin dans ce petit
bled?

Malevitch — Non, Tommard, je ne le suis plus.
J'ai exercé à Paris, puis je suis venu m'installer
ici. J'étais fatigué. J'ai pensé que la vie ici serait
différente.

Tommard — Et alors?

Malevitch — C'est vite devenu insupportable et
véritablement ennuyeux.

Tommard — Pourquoi vous étiez fatigué?

Malevitch — Le conseil de l'Ordre m'a… ausculté.
Ils m'ont… prescrit des vacances.

Tommard — Vous avez fait des boulettes !

Malevitch — *(ironique et inquiétant)* En effet.
J'ai abusé d'un homme après lui avoir défoncé le
crâne. C'était un bel homme. Une peau douce et
satinée, un visage de petit ange.
*Paniqué, Tommard s'appuie sur son bâton et
tente de se lever. Il parvient à se mettre debout
et semble vouloir se diriger vers sa voiture.
Malevitch se lève brusquement.*

Malevitch — Vous partez déjà Tommard ?
*Il bondit, lui arrache le bâton des mains, le
déséquilibre et amortit sa chute en opposant ses
bras. Puis, il retourne à son sac, ramasse sa
canne et revient vers Tommard.*

Malevitch — Mais vous pouvez marcher petit
cachottier !
Il lui donne sa canne

Malevitch — Tenez. Prenez plutôt cela.
*Tommard hésite, s'empare de la canne mais
reste assis.*

Malevitch — Vous êtes trop émotif mon vieux.
Comment pouvez-vous penser que j'ai pu faire
une chose pareille ? Vous feriez un très mauvais
flic, vous savez.

Tommard — Mais… mais si j'étais flic, je vous
coffrerais rien qu'à votre tête.

Malevitch — Vous êtes de nouveau insultant.

Tommard — Et si j'étais flic, je vous demanderais
ce que vous faites ici, et pourquoi précisément
vous ne faites rien.

Malevitch — Mais vous m'avez déjà posé ces
questions Tommard.

Tommard — Vous n'avez pas répondu, « accusé Malevitch ».

Malevitch — Ah, vous voyez que vous savez jouer. Très bien. Jouons. Quelle est votre question « monsieur le Procureur » ?

Tommard — D'accord, que faites-vous ici ?

Malevitch — Je me promène monsieur le Procureur. J'aime à me balader le long de ce sentier désert. Je respire le grand air de la montagne, j'écoute pousser les arbres, lorsque ceux-ci ne sont pas emboutis par des automobilistes peu scrupuleux, sauf votre respect, monsieur le Procureur.

Tommard — Vous vous promenez dites-vous ? Avec cet énorme sac et tout ce matériel de soins ?

Malevitch — Cet énorme sac qui n'a pas échappé à votre sens aigu de l'observation contient le nécessaire du parfait randonneur. Une tente, un sac de couchage, quelques vêtements, quelques provisions, et ce que vous appelez matériel de soins, qui, soit dit en passant, n'a pas semblé superflu si l'on considère l'état de santé de votre honneur, est une trousse de secours. Lorsque l'on connaît un tant soit peu la montagne, ces éléments de première urgence ne sont pas superfétatoires.

Tommard — Docteur Malevitch, vos affirmations concernant votre profession et votre lieu de résidence sont-elles exactes ?

Malevitch — Tout ce qu'il y a de plus exactes.

Tommard — Et votre femme ?

Malevitch — Je ne sais pas de quoi vous parlez ?

Tommard — Vous portez une alliance.

Malevitch — Bien, Tommard, vous faites des progrès vous savez.

Tommard — Répondez à la question s'il vous plaît.

Malevitch — Cette alliance est un souvenir. Un héritage. Cet anneau n'est strictement empreint d'aucune connotation d'union maritale. Et s'il se trouve précisément à ce doigt-là, c'est parce que c'est là qu'il s'y trouve le mieux.

Tommard — Vous faites quoi de vos journées à part vous promener ?

Malevitch — C'est déjà pas mal, vous ne trouvez pas ?

Tommard — Comment ça ? Vous voulez dire que vous passez tout votre temps ici ?

Malevitch — Cela vous paraît étrange parce que vous êtes un laborieux. Vous ne pouvez concevoir une existence sans votre lot de quotidienne besogne.

Tommard — C'est facile à dire quand on a les moyens.

Malevitch — On a les moyens que l'on se donne, cher ami. Pour vous je suis un oisif et c'est mal mais si vous disposiez de ma liberté vous seriez incapable d'en profiter sainement.

Tommard — Qu'est-ce que vous en savez ?

Malevitch — Quels sont vos plus beaux souvenirs Tommard ?

Tommard — *(gêné par la question)* Pourquoi ?

Malevitch — Je vous mets au défi de me citer deux ou trois de vos plus beaux souvenirs sans avoir le sentiment d'être complètement ridicule! Je parle d'événements marquants. Ne me racontez pas vos souvenirs de beuveries, de tiercé touché dans l'ordre, de la petite aux gros seins touchée dans le désordre ou de la vente d'ordinateurs à un Papou de Nouvelle-Guinée.

Tommard — *(embarrassé)* Ça vous regarde pas. C'est perso ces choses-là.

Malevitch — Ah, vous voyez, vous vous cachez derrière les parois pourtant transparentes de votre bulle parce que vous êtes incapable de m'en citer un seul! Ma mère me disait souvent : "Mon amour..." Elle m'a appelé "mon amour" jusqu'à ce que j'ai 25 ans...

Tommard — Et après?

Malevitch — Elle a disparu. "...Mon amour, n'oublie jamais qui tu es et ce que tu fais pour être, parce qu'une fois sous terre, ta mémoire appartiendra à n'importe qui." Vous comprenez Tommard?

Tommard — Pas vraiment.

Malevitch — Comment écrivez-vous "existence"?

Tommard — Comme tout le monde.

Malevitch — Cela ne m'étonne guère. Eh bien moi je l'écris avec un "a" : *(Il épelle)* "EXISTANCE". Parce qu'avec un "A", cela sonne comme contenance, jouissance, puissance, renaissance, résonance, connaissance...

Tommard — Intolérance.

Silence. Malevitch le regarde de manière inquiétante.

Malevitch — Condoléances.

Tommard tente de détendre l'atmosphère sans y parvenir.

Tommard — *(désignant sa voiture)* Europe Assistance.

Malevitch reste silencieux.

Tommard — Vous devriez écrire vos pensées Malevitch. Je suis sûr qu'il y a beaucoup de tordus qui seraient intéressés par vos élucubrations.

Malevitch retrouve le sourire. Il sort d'une poche latérale de sa parka un livre qu'il propose négligemment à Tommard. Ce dernier est stupéfait, impressionné.

Malevitch — Vos désirs sont des ordres.

Tommard regarde le livre avec des yeux ronds.

Tommard — Non ! Vous êtes écrivain ! Je le crois pas !

Il regarde la pochette et lit le titre.

Tommard — " Les migraines du diable ".

Malevitch — C'est une réédition.

Tommard — *(retourne le livre et examine la jaquette)* Vous faites jeune sur la photo. *(Il le feuillette avec une indifférence feinte)* Cela parle de quoi ?

Malevitch — De Rédemption.

Tommard — De Rédemption ?

Malevitch — Oui, c'est l'histoire d'un homme dont la vocation est de prodiguer le bien autour de lui. Mais il est victime d'insupportables névralgies. Des migraines si douloureuses, si pointues, qu'il s'en arracherait la tête. Par hasard, il découvre que ses migraines sont liées à ses bonnes actions et que pour s'en sortir, il n'a d'autres alternatives que de pactiser... disons... avec le diable. Dès lors, il parvient à se soulager en se laissant guider par les forces du mal.

Tommard — Du style?

Malevitch — C'est un médecin. Chaque guérison est pour lui un calvaire. Lorsqu'un enfant est sauvé, un autre doit mourir.

Un temps.

Tommard — C'est autobiographique?

Malevitch — Ahgrrr! Ce que vous êtes agaçant! Ce sont des métaphores! Savez-vous ce qu'est une métaphore? Vous lisez un livre comme on lit un journal vous? Je n'ai pas écrit un rapport. C'est un essai...

Tommard — Vous fâchez pas. Je demandais juste par politesse.

Malevitch — Votre politesse est bien rudimentaire.

Tommard — C'est marrant comme certaines questions vous gênent.

Malevitch — Nenni. Ce ne sont pas vos questions qui me gênent mais leur pauvreté.

Tommard — Hé, je suis pas tombé du ciel pour disserter sur votre bouquin moi!

Malevitch — Chaque moment doit être propice à s'enrichir.

Tommard — Vous partez en randonnée avec votre propre livre?

Malevitch — Et alors?

Tommard — C'est au cas où vous rencontreriez un admirateur qui souhaiterait une dédicace, ou c'est pour lire des passages aux écureuils?

Malevitch — Vous lisez Tommard?

Tommard — Ben....

Malevitch — Quel est l'auteur, l'œuvre qui ne vous quitte plus depuis que vous l'avez découverte? Quel est votre livre de chevet, celui que vous avez lu et relu, dont vous connaissez des passages par cœur, ce livre qui, un jour a bouleversé votre vie, que vous ne prêteriez sous aucun prétexte? Vous savez, ce livre que vous jugez d'utilité publique mais que vous ne conseillez pas à votre entourage de peur qu'il ne l'apprécie pas à sa juste valeur.

Tommard — Oh, heu... j'aime bien heu...

Malevitch — ... Et par pitié, je vous en supplie, ne me dites pas " Le petit Prince "! Huit fois sur dix, c'est le livre que citent les personnes qui ne lisent pas. Cette œuvre est victime de sa soi-disant accessibilité. Vous rendez-vous compte du gâchis! Tout le monde a lu " Le petit Prince ". Et ceux qui se l'approprient n'ont, la plupart du temps, pas dépassé le stade du conte pour enfant! C'est, à ma connaissance, une des rares œuvres dont un adulte inculte puisse parler comme étant le livre de sa vie sans rougir, en se remémorant de vagues souvenirs d'enfance. N'importe qui peut faire bonne figure en ayant juste parcouru les illustrations! Vous imaginez! Pauvre Saint-Exupéry!

Tommard — Moi, je suis plutôt romans policiers.

Malevitch — Et quels sont vos auteurs de prédilection? Français, américains, anglais? J'adore ces mamies anglo-saxonnes délicates et pudiques qui écrivent des romans truffés de faits effroyables qui feraient rougir n'importe quel légionnaire.

Tommard — J'aime bien les " Fleuves Noirs ".

Malevitch — Et quel est votre affaire favorite ?

Tommard — *(troublé)* Comment ça ?

Malevitch — L'affaire criminelle qui vous a le plus touché ?

Tommard — Dans les livres ?

Malevitch — Eh bien oui, dans les livres, de quoi parle-t-on ? !!

Tommard — Ah oui, heu...

Malevitch — Que lisez-vous en ce moment ?

Tommard — Dites donc, c'est moi qui était censé poser les questions, accusé Malevitch.

Malevitch fait un signe de capitulation de la main. Il avance vers Tommard et tend la main pour récupérer son livre.

Tommard — Je comprends toujours pas pourquoi vous vous promenez avec votre propre bouquin.

Malevitch — Je travaille continuellement dessus. Pour moi, il n'est pas terminé.

Tommard ouvre le livre et examine avec attention le contenu.

Tommard — Ah oui, il y a plein de notes. *(Il lève le nez du livre)* Je peux pas le garder alors ?

Malevitch — *(prend le livre)* Vous me priveriez de mon instrument de travail ?

Tommard — Si je comprends bien, votre livre de chevet, c'est rien de moins que le vôtre !

Malevitch — En ce moment, je passe beaucoup de temps dessus.

Tommard — Un peu tard pour les corrections.

Malevitch — Vous êtes un produit surgelé,

Tommard. *(Il désigne la tête)* Surtout, ne rien changer ! Eh bien moi j'estime que mon livre n'est pas abouti. Il continue à vivre.

Tommard — Concrètement, ça se passe comment ? Vous vous baladez et puis à un moment donné, vous décidez de faire une halte dans un endroit tranquille, et vous jetez vos idées sur votre bouquin ? Votre inspiration, vous la trouvez où ? Au pied d'une fougère ?

Malevitch — L'inspiration ne se trouve pas. Elle se laisse charmer. C'est un souffle subtil, aiguisé, qui ventile votre esprit au détour d'une image, d'un parfum, d'une sensation. Je ne me balade pas en regardant la pointe de mes chaussures. Je m'imprègne, je vis, je me transforme.

Tommard — Depuis combien de temps êtes-vous ici ?

Malevitch — J'ai quitté la maison ce matin.

Tommard — Et vos petites escapades, elles durent longtemps ?

Malevitch — Rarement plus d'une semaine.

Tommard — Vous faites quoi entre ?

Malevitch — *(agacé)* Oh la la ! Votre honneur commence à me casser les pieds avec son interrogatoire !

Tommard — Vous êtes marrant vous ! J'aimerais bien savoir à qui j'ai affaire moi. Je suis quand même à votre merci là.

Malevitch — Il y a des façons moins formelles de faire connaissance.

Tommard — Pourquoi vous ne portez pas secours à heu... disons... la victime, docteur Malevitch ?

Malevitch — Mais il me semble qu'au contraire, je n'ai fait que cela ! Vous en êtes la preuve… vivante !

Tommard — Oui, mais une fois les premiers soins apportés, pourquoi est-ce que vous ne vous précipitez pas au premier village venu pour demander une ambulance, un taxi, une voiture ?

Malevitch — Si votre éminence avait la bonté de lever ses yeux au ciel, elle pourrait, non pas observer les signes distinctifs d'une présence divine, mais se rendre aisément compte que la nuit ne va pas tarder à tomber. En cette période de l'année, la lumière du jour s'estompe rapidement. Vous n'allez tout de même pas me reprocher de ne pas abandonner un homme affaibli et sans défense sur les bords d'une route déserte, à la tombée de la nuit. Et puis, pour être honnête, je trouve votre compagnie plutôt distrayante.

Tommard — Hé, mais vous rigolez ou quoi ? J'ai pas du tout envie de rester ici avec un oiseau de votre espèce moi. Vous croyez que je vais jouer à ce petit jeu pendant longtemps ? Que je vais rester sagement là, à attendre que vous me martyrisiez. J'ai…

Malevitch — Ça suffit Tommard ! Je vous promets que demain je m'occupe de votre cas. Mais cette nuit, il faudra la passer ici.

Tommard — Hors de question.

Malevitch — Vous n'avez pas le choix Tommard. Vous voulez peut-être essayer de redescendre à cloche-pied jusqu'au village ? Ou alors vous comptez sur moi pour vous porter ?

Tommard — *(ironique)* Vous préférez que je partage votre tente hein ! ?

Malevitch — Non, mais je vais gentiment vous aider à regagner votre voiture pour que vous puissiez y passer la nuit.

Tommard — Allez au diable !

Malevitch — Si vous préférez rester sur le bord de la route, c'est votre problème.

Tommard — Il y aura bien quelqu'un qui passera.

Un temps.

Malevitch — Vous savez ce que je vais faire, Tommard, je vais installer ma tente au milieu de la route. Si une voiture passe, vous serez averti par le craquement de mes os.

Tommard — Vous êtes vraiment taré vous.

Malevitch — *(il fait une révérence)* Pour vous servir.

Noir. Rideau.

Acte II

Le lendemain matin. Même endroit.

Une tente est installée au milieu de la route. À côté, une table de fortune sur laquelle sont disposés des gobelets, une bouteille Thermos, et une boîte de gâteaux. Malevitch fait des mouvements de gymnastique chinoise. Ce sont des mouvements lents et gracieux rythmés par des exercices respiratoires.

La portière avant de la voiture s'entrouvre et on devine Tommard, affalé à la place du conducteur.

Il se redresse avec peine et fait dépasser ses jambes au dehors. Il est vêtu comme la veille avec en plus, un imperméable ample.

Malevitch — *(sans tourner la tête dans la direction de Tommard, et sans s'interrompre. D'un ton enjoué)* Bonjour mon bon Tommard.

Tommard émet un grognement et souffle de douleur.

Malevitch — Ne posez pas votre pied tout de suite. Allez-y progressivement. Ça va être douloureux un moment, le temps que le sang descende.

Tommard s'exécute. Il s'assied en posant ses pieds sur le rebord de la portière entrebâillée. Il ouvre la vitre et place ses coudes à l'extérieur. Il regarde Malevitch d'un œil narquois. Puis il se tourne légèrement et une main disparaît pour réapparaître munie d'un rasoir électrique. Il règle le rétroviseur, met en marche le rasoir et se rase en se regardant dans le rétroviseur.

En entendant le bruit, Malevitch tourne la tête, étonné, puis se remet à sa gymnastique.

Malevitch — Vous avez pris vos anti-inflammatoires cette nuit?

Tommard fait mine de ne pas l'entendre et ne lui répond pas. Chacun vaque à ses occupations pendant un moment. Puis, après une minute, Malevitch se tourne vers Tommard en continuant sa gymnastique.

Malevitch — Il y a du café si vous désirez.

Tommard arrête son rasoir et se passe la main sur le visage.

Tommard — Une vraie petite femme d'intérieur.

Malevitch — Inutile de me remercier.

Tommard — *(ironique)* Vous faites votre toilette avec des courants d'air là? Ou c'est un nouveau jeu?

Malevitch prend une profonde respiration. Il se retourne vers Tommard.

Malevitch — Mais vous êtes très spirituel ce matin! C'est du thaï-chi, de la gymnastique chinoise. Le secret de la longévité. J'imagine que vous mourrez d'envie d'essayer, mais je vous le déconseille compte tenu de votre état.

Tommard fait un sourire forcé.

Malevitch — Ce sont des techniques empruntées aux animaux.

Il entreprend de faire une démonstration.

Malevitch — La grâce du flamand rose…
*Il fait des gestes amples et lents en faisant
prendre à chacune de ses mains la forme d'un
bec et en imitant, sur la pointe des pieds, la
démarche mesurée du flamant.*

Malevitch —… La rapidité du félin…
*Il se plie sur ses jambes et donne à ses mains
l'apparence de pattes griffues. Il décrit des arcs
de cercle avec ses bras en distribuant à un
ennemi imaginaire de fulgurants coups de
griffes.*

Malevitch —… L'agilité du singe…
*Il se déplace très près du sol, en faisant de
larges balayages des jambes tout en balançant
ses épaules. Ses bras inertes suivent le reste du
corps. Il se contorsionne comme pour esquiver
une série d'attaques. D'un bond, il se retrouve
au côté de Tommard.*

Malevitch — Avez-vous passé une agréable nuit
monsieur Tommard ?
Tommard se frotte les yeux.

Tommard — J'ai passé la nuit à entendre des
bruits de voiture qui freinent et d'os qui craquent.
Malheureusement, je constate que ça n'était
qu'un rêve.

Malevitch — Je vous ai entendu cette nuit, vous
savez. Vous avez fait du bruit. Vous parliez tout
seul ? Ou peut-être avez-vous allumé la radio
pour vous tenir compagnie ?
*Il se penche et jette un œil inquisiteur à l'inté-
rieur de la voiture.*

Tommard — Vous avez déjà oublié votre partie de pêche dans mon moteur ? Les fils de la batterie ?

Malevitch — Comment va votre épaule ?

Tommard — Elle ira mieux quand elle sera à l'hôpital.

Malevitch — À l'hôpital ? Mais on ne voudrait pas de vous. Et si tant est que l'on vous accepte, il faut être stupide pour croire que l'on s'occuperait de vous. Il n'y a pas de place pour une petite "entorsounette Tommardienne" dans les hôpitaux.

Tommard — *(soupir)* Vous êtes assommant dès le matin vous !

Malevitch — Oui, eh bien vous, vous êtes un asocial, Tommard. Hier soir, vous vous êtes enfermé dans votre voiture comme si j'étais un pestiféré, sans un mot de remerciement. Pas ça *(Il fait en même temps claquer l'ongle de son pouce contre une dent de devant)*.

Malevitch — Nous aurions pu passer une agréable soirée à papoter en grignotant quelques gourmandises. J'ai tout ce qu'il faut dans mon sac et votre coffre regorge de victuailles. Nous aurions pu dialoguer, communiquer. Connaissez-vous le sens du mot communiquer Tommard ?

Tommard le regarde en baillant.

Malevitch — Il vient du latin communicare signifiant "être en relation avec". Mais je suppose que votre acception du terme se limite à mettre en relation un ordinateur et une ligne téléphonique.

Tommard — *(Cri accompagné d'un geste d'exaspération)* Ahbayou !

Malevitch — *(surpris)* Plaît-il ?

Tommard — Ahbayou !

Malevitch — Qu'est-ce que c'est ?

Tommard — *(fier de son effet)* C'est une expression.

Malevitch — Oui merci, j'hésitais entre cela et les signes précurseurs de la démence. Et cela signifie ?

Tommard — Oh ben, beaucoup de choses. C'est une expression qu'on a entre collègues. On dit ça un peu n'importe quand. Pour marquer la surprise ou l'énervement. Des fois aussi quand on a classé euh… réussi… un contrat. En tous cas, ça vous l'a coupée.

Malevitch — Splendide ! Bertrand Tommard et ses amis ont mis au point un nouveau langage. Une méthode de communication révolutionnaire. Mesdames et Messieurs, venez admirer Tommard et sa bande dans leur inimitable numéro de primates décérébrés. Vous les verrez se chercher les puces en poussant leur désormais célèbre mugissement trisyllabique !

Il s'adresse au public.

Malevitch — Approchez, approchez. N'ayez pas peur, vous ne craignez rien. Ils sont inoffensifs.

Il désigne Tommard.

Malevitch — Regardez le gros là ! C'est vraisemblablement lui le meneur, le mâle dominant. Oh, il ne doit pas cette position à une clairvoyance particulière. Non, c'est simplement lui qui a le derrière le plus rose. Car dans cette tribu, on dit bonjour avec son fondement ! Observez cet air hébété, ne vous méprenez pas, il n'est pas sous anesthésie, il est en pleine activité cérébrale !

Tommard — *(vexé)* Alors vous, vous savez à quoi vous me faites penser?

Malevitch — Ah parce qu'en plus vous pensez!

Tommard — On dirait une petite vieille aigrie qu'est dépassée par son temps.

Malevitch — Vous faites fausse route Tommard. Je ne suis pas dépassé par mon temps mais consterné par le vôtre.

Tommard — Vous vous croyez supérieur avec vos grands airs de sous-préfecture, mais vous êtes un pauvre type. Je suis sûr que dans la vie, personne veut vous parler. Tout le monde vous fuit. C'est pour ça que vous m'avez obligé à passer la nuit ici.

Malevitch — Vous faites de la psychologie de salon de coiffure, Tommard.

Tommard s'est muni d'un peigne et se coiffe consciencieusement. Malevitch le considère avec amusement.

Malevitch — Oh là là, mais vous prenez bien soin de vous, dites donc. Vous avez un rendez-vous? Ou vous attendez du monde peut-être?

Tommard — *(sourire mystérieux)* Vous ne croyez pas si bien dire mon vieux.

Malevitch va vers son sac et en sort un bloc à dessin et un crayon. Tommard reste dans sa voiture.

Tommard — Qu'est-ce que vous préparez encore?

Malevitch — Je vous trouve à croquer ce matin, alors si vous permettez. *(Il désigne son bloc de la pointe de son crayon).*

Tommard — Vous voulez pas plutôt me faire une ordonnance?

Malevitch — Ce ne sont que de modestes croquis mais, à ma manière...

Tommard — Vous êtes peintre maintenant!

Malevitch — *(ironique)* Oui, voici mon pinceau et voilà ma toile. *(Il présente son crayon et son bloc)* Souhaitez-vous presser le tube de peinture? *(En avançant le bassin de manière ambiguë mais pas vulgaire).*

Tommard — Je le crois pas! Vous êtes écrivain, dessinateur... Alors là, si dans cinq minutes vous me sortez de votre sac un harmonica ou une contrebasse, je me fais raser le crâne!

Malevitch — Mon dieu, je ne veux pas être responsable de cela!

Malevitch commence à griffonner en prenant Tommard pour modèle.

Tommard — Ah, j'aime pas ça! *(Il fait mine de se cacher dans sa voiture alors que Malevitch l'examine avec attention).*

Malevitch — Oh, ne faites pas votre chochotte. Je n'en ai que pour quelques minutes. Vous aimez les arts graphiques?

Tommard — À mon avis, venant de vous, ça risque d'être assez particulier.

Malevitch — Vous n'avez pas tout à fait tort. *(Il trace des traits vifs et mécaniques sur son bloc en jetant de rapides coups d'œil à Tommard)* Mon approche est volontairement dépouillée de tout artifice descriptif et explicatif. L'idée n'est pas de moi et elle n'est pas récente, mais le style est bien le mien. J'en possède les clés.

Tommard — Vous dessinez quoi d'habitude ?

Malevitch — Mes rencontres avec des humains, des paysages, des objets, des perspectives…

Tommard — Vous en avez avec vous là ?

Malevitch — Je suis flatté de l'intérêt que vous portez à mon travail mais je ne m'encombre pas de mes œuvres abouties.

Tommard — Oui, bon ben accélérez parce que j'ai pas que ça à faire moi.

Malevitch — C'est presque terminé, rassurez-vous. Vous êtes facile à transposer savez-vous ? Quatre traits de crayon et vous êtes cerné.

Tommard — Ah oui, je vois le genre. Vous faites un tas de gribouillis et puis vous expliquez que personne n'est assez futé pour vous piger.

Malevitch — Vous êtes bien prétentieux d'estimer que vous n'êtes pas autre chose qu'un tas de gribouillis, Tommard. Quand à vos appréciations, rassurez-vous, elles ne m'intéressent pas. *(Il s'emporte)* Ce sont les commentaires des gens de votre espèce qui font sourire la Joconde. Vous êtes responsable, Tommard. C'est vous qui dénaturez son expression. Car elle se gondole la Joconde ! en entendant toutes ces niaiseries que l'on débite à son sujet. À l'origine, lorsque De Vinci l'a portraiturée c'était une femme pleine de retenue, de distance. Une sorte de sainte à la fois mélancolique et voluptueuse, modeste et fière. Mais à force de voir défiler les regards d'énergumènes incultes, son sourire s'est transformé en un rictus amer et lucide. Le sacrifice de l'art au nivellement par le tourisme. La Joconde s'immole d'un sourire d'abnégation !

Tommard lève les yeux au ciel.

Tommard — Bon hé, basta.

Malevitch signe son dessin, le détache de son bloc et le tend à Tommard.

Malevitch — Je l'appellerai : "Le soliloque du hasard".

Tommard se saisit du dessin en passant la main par la portière, le regarde en fronçant les sourcils, ricane et le lui tend.

Tommard — C'est un psychiatre qui serait intéressé par votre collection.

Malevitch range son matériel.

Malevitch — Vous pouvez le garder. Il vous appartient.

Tommard — *(il reporte un œil narquois sur la feuille)* Je suppose que l'espèce de tête de mort en équilibre sur la pyramide, c'est moi ?

Malevitch — Vous vous dépassez parfois.

Tommard — Oui, et ben ce genre de conneries c'est pas fait pour embarrasser.

Il froisse la feuille en une boule et s'apprête à la jeter mais se résigne et la fourre dans une poche.

Malevitch — Mais vous êtes un S.S., Tommard ! Vous n'avez aucun respect pour ce qui vous est étranger ou que vous ne comprenez pas.

Tommard — Et vous, vous avez du respect pour moi peut-être.

Malevitch — Vous rendez-vous compte, Herr Tommard, que par ce geste vous exprimez l'absolue négation de toute forme d'évolution ! Vous êtes verrouillé, à la limite du végétatif ! Regardez-vous! Vous vous comportez comme si à chaque instant, vous vous excusiez d'exister. Qu'avez-vous construit Tommard? Vous n'avez pas de famille, visiblement pas de racines, quasiment pas de culture, pas de passion. De quoi êtes-vous riche exactement? Y a t-il quelque chose qui compte plus pour vous qu'un estomac bien rempli, des testicules régulièrement vidangées et un téléviseur qui ne tombe jamais en panne.

Tommard le considère avec tranquillité. Il est accoudé à la portière et s'allume une cigarette.

Malevitch — Ah non! Vous n'allez pas fumer dans un cadre pareil à une heure si matinale. Mon devoir de médecin est de vous avertir que cette cigarette... vous tuera!

Tommard — Vous fatiguez pas Doc. Vous réussirez pas à gâcher mon plaisir. La première cigarette du jour, c'est la meilleure, vous savez. Elle a un p'tit goût spécial. Plus sucré. Vous pouvez pas comprendre, alors *(narquois)* respectez ma différence, camarade Malevitch! *(Gloussant puis toussant)* Vous n'avez qu'à reprendre votre petit bloc et dessiner des panneaux d'interdiction de fumer.

Malevitch — Détrompez-vous, je peux parfaitement comprendre. J'ai été un autre fumeur que vous. Lorsque j'étais étudiant j'enfilais les cigarettes comme les minutes. La cigarette du matin, c'est autre chose qu'une appréciation gustative. C'est un hymne à la liberté, un pied de nez à ce fameux misérable matin où nous ne nous réveillerons pas. Ce rituel, je l'ai pratiqué des années durant et puis, un beau matin, ma main encore ensommeillée n'a pas trouvé le paquet et le briquet ordinairement posés sur la table de nuit. Après quelques tâtonnements, elle a rencontré une chose bizarre, humide, spongieuse. C'était un poumon que des amis de la fac avaient déposé là pendant mon sommeil ! Le poumon d'un macchabée qu'ils avaient réussi à escamoter.

Tommard — *(riant)* Et la semaine suivante, on vous a mis une femme dans votre lit pour définitivement vous en faire passer l'envie !

Malevitch — *(froissé)* Fumez-la votre cigarette. Profitez-en bien, Tommard.

Tommard — Quelle susceptibilité !

Malevitch — De quoi parlez-vous ?

Tommard — Tenez, puisque vous avez toujours une leçon à donner, un commentaire ou une histoire à déballer, pour une fois, c'est moi qui vais vous en dire une. Je suis peut-être pas très cultivé mais je peux me vanter d'être plutôt fin psychologue. Vous savez comment je fais pour savoir si quelqu'un est susceptible ? Je le traite de susceptible. Ça marche à tous les coups ! Vous voyez, il y a pas que vous à avoir des histoires à paradoxe.

Malevitch semble agréablement surpris.

Malevitch — Bien ! Mais qu'avez-vous mis dans votre cigarette Tommard ? Vous vous droguez ma parole ! C'est le premier raisonnement digne de ce nom que je vous entends prononcer depuis que je vous connais. Non, là, je vous tire mon chapeau. C'est simple, bien tourné, pas très bien présenté, bon, mais vous débutez.

Tommard tend son paquet de cigarettes à Malevitch.

Tommard — Laissez-vous tenter. Une petite comme ça, ça peut pas faire de mal.

Malevitch — Gardez vos boniments pour vos clients.

Tommard — En tout cas, moi, c'est pas la vue d'un poumon qui me ferait arrêter.

Malevitch — Et si je vous montrais les vôtres, à cœur ouvert !

Tommard — C'qu'est bien avec vous, c'est que c'est toujours dans le délicat...

Malevitch se redresse soudainement. Il semble avoir entendu quelque chose.

Malevitch — Chut ! Taisez-vous !

Tommard tend l'oreille. Malevitch sort de scène vers la coulisse. On entend des aboiements de chien. Tommard jette un œil sur sa montre en fronçant les sourcils. Après un moment, les aboiements cessent. Malevitch revient sur scène armé d'un gros bâton. Tommard le regarde effaré.

Tommard — Vous n'avez tout de même pas...

Malevitch regarde son bâton et le jette.

Malevitch — *(amusé)* Mais non. C'était éventuellement pour me défendre. Il y a quelques chiens sauvages dans la région. Ils peuvent être agressifs. Celui-ci a eu plus peur que moi.

Tommard — Pourquoi on l'entend plus ?

Malevitch — Il a détalé.

Tommard — Vous l'avez massacré !

Malevitch — Mais arrêtez ! C'est stupide !

Tommard — Vous avez tué de sang-froid une pauvre bête à coups de bâton !

Malevitch — Non mais vous délirez mon pauvre Tommard! J'ai plus de respect pour les animaux que pour certains humains.

Tommard — *(désigne la coulisse vers laquelle Malevitch a jeté son bâton)* Montrez-moi le bâton.

Malevitch — Allez le chercher vous-même!

Tommard — Pourquoi vous avez fait ça?

Malevitch — Bon, écoutez, ça suffit! Je vous répète que je n'ai pas touché à un seul des poils de ce chien. J'ai à peine eu le temps de l'apercevoir. Ces animaux sont abandonnés. Ils ont souvent été mal traités. Ils ont peur de l'homme.

Tommard — *(obstiné)* Montrez-moi le bâton!
Malevitch soupire. Il fait mine de se diriger vers l'endroit où il a jeté le bâton. À cet instant, on entend de lointains aboiements. Malevitch se retourne, sourire aux lèvres.

Malevitch — Satisfait?
Tommard s'extrait de la voiture avec difficulté en s'aidant de la canne. Il se dirige claudiquant vers la gauche de la scène.

Malevitch — *(prévenant)* Je peux vous aider?

Tommard — Oh non, surtout pas!
Malevitch se rapproche quand même.

Tommard le menace de sa canne.

Tommard — Mais lâchez-moi! Je peux quand même aller aux toilettes tout seul non!

Malevitch — *(il renonce et revient sur ses pas)* Mon dieu, quel horrible pardessus.
Tommard disparaît derrière un fourré.

Malevitch — *(il s'étire)* Quel temps magnifique.
Il parle fort pour que Tommard puisse l'entendre.

Malevitch — Vous savez, j'ai beaucoup pensé à vous cette nuit, Tommard.

Tommard — *(voix lointaine)* Moi aussi j'ai pensé à vous. Mais sous forme de bouillie…

Malevitch — Vous n'êtes pas aussi primaire que vous semblez l'être.

Tommard — Ah ?

Malevitch — Vous n'êtes pas un poisson.

Tommard — Allons bon !

Malevitch — Non, plutôt un mammifère rongeur, ou bien marin. J'hésite encore. Il faudrait que je vous examine plus… intensément.

Tommard — Une tortue peut-être ?

Malevitch — Pas mal. Vous dites cela à cause de mon histoire d'hier ?
Tommard râle. Il marmonne quelque chose.
Malevitch tend l'oreille. Après un moment.

Tommard — *(timidement, à contrecœur)* Dites, vous voulez pas me lancer la boîte de Kleenex qui est dans la voiture.

Malevitch — *(amusé)* Vous voyez que vous avez besoin de moi !
Il se lève, prend une boîte de Kleenex à l'avant de la voiture et se place sur la gauche de la scène, visible au public. Il se penche pour essayer d'apercevoir Tommard dissimulé derrière les buissons.

Il jette la boîte vers une main que l'on ne voit pas. Il regarde avec attention puis siffle d'admiration.

Malevitch — Oh, mais quel beau travail !
Ses commentaires sont ponctués par une série de grognements et menaces de Tommard gêné.

Tommard — Foutez-moi la paix !

Malevitch — Regardez-moi ça ! Je ne sais pas si vous êtes une tortue mais en tout cas, vous en pondez de magnifiques !
Il observe avec enthousiasme et raillerie en faisant de temps en temps mine d'abandonner sous les injonctions de Tommard.

Tommard — Lâchez-moi bon sang ! Je vous préviens…

Malevitch — Ah je suis navré Tommard, mais en tant que médecin, permettez-moi de vous dire que vous avez fait là une pièce de collection. Remarquable. Un petit chef-d'œuvre ! *(Taquin)* Vous êtes une force de la nature Tommard ! Et dire que je n'ai pas apporté mon appareil photo.

Tommard — Dégagez !
Malevitch jette à nouveau un rapide coup d'œil.

Malevitch — C'est bien simple, elle a l'air si parfaite que l'on dirait une fausse. Quelle merveille. C'est tout chaud, cela sort du four ! On en mangerait ! Ahbayou !

Tommard — Foutez le camp, vous êtes un malade !
Malevitch finit par céder aux injures de Tommard et retourne près de sa tente.

Malevitch — Ne soyez pas modeste Tommard ! Je me doutais bien que vous aviez des talents cachés.
Après un instant, Tommard revient sur scène en boitillant et en s'aidant de la canne. Il semble

furieux mais curieusement, réussit à se contenir.

Malevitch déplace le tabouret pliant qui sert de tablette sur laquelle sont déposés le Thermos, les gobelets et le paquet de gâteaux, de manière à ce qu'ils puissent s'y réunir tous deux.

Tommard — *(calme et méprisant. Se déplaçant encore avec difficulté)* Vous êtes prêt à tout pour rabaisser votre prochain.

Malevitch — *(amusé et inquiétant)* Votre prochain. Vous avez dit votre prochain! Comme c'est juste Tommard, vous êtes exactement cela, le prochain. Mon prochain. Tenez, venez vous restaurer. *(Ironique, désignant les buissons)* Après l'effort que vous venez de faire.

Il se lève pour aider Tommard à s'asseoir à ses côtés, derrière la tablette.

Tommard — *(avec un calme et une froideur rendant sa menace plus impressionnante)* Ne me touchez pas.

Malevitch se rassied et regarde Tommard en faire de même tant bien que mal. Il ouvre le Thermos.

Malevitch — Du café?

Tommard — Chaud?

Malevitch — Mais oui mon vieux.

Tommard — Vous avez un machin là… un réchaud?

Malevitch — *(moqueur)* Non, je suis allé le chercher au café d'à côté.

Il verse le café dans un gobelet qu'il tend à Tommard. Tommard le prend mais ne le porte pas à sa bouche, méfiant.

Tommard — Vous n'en prenez pas?

Malevitch le considère avec étonnement. Puis il saisit un autre gobelet qu'il remplit.

Malevitch — Vous n'avez pas confiance en moi?

Tommard — *(sur le ton de la boutade)* J'ai peur que vous m'empoisonniez.

Malevitch — Mon café est paraît-il de bonne facture.

Tommard — Je ne parle pas du café mais de ce que vous auriez pu mettre dedans.

Malevitch le regarde droit dans les yeux puis lève son gobelet comme pour trinquer, le porte à ses lèvres et boit une gorgée de café.

Tommard qui ne le quitte pas des yeux saisit le sien, renifle son contenu et l'imite.

Malevitch — Vous êtes mort Tommard!

Tommard sursaute et le regarde ahuri, lèvres jointes. Malevitch le toise, souriant et provocateur.

Malevitch — Vous êtes en train de vous dire que j'ai moi-même bu de ce café, n'est-ce pas?

Tommard hoche la tête sans desserrer la mâchoire.

Malevitch — Et que, par conséquent, je me suis moi-même empoisonné?

Tommard fait un signe d'incompréhension et d'impuissance.

Malevitch — C'est parce que vous raisonnez comme vos ordinateurs, Tommard. Blanc ou noir. Puisque vous partez du principe que je sois en mesure de disposer de poison, vous devez admettre que je puisse également posséder du contrepoison. Alors imaginez que le café contienne effectivement une substance toxique mais que j'ai auparavant pris soin d'absorber une substance annulant cet effet. Vous pouvez échanger les gobelets, cela n'empêchera pas l'action du poison et du contrepoison !

Tommard le fixe, les yeux grands ouverts.

Malevitch repose son gobelet.

Malevitch — Mais rassurez-vous mon vieux, je suis allergique aux contrepoisons.

Tommard s'empare du gobelet de Malevitch, le porte à sa bouche et y recrache la gorgée qu'il avait fait mine d'avaler.

Malevitch ricane et applaudit.

Malevitch — Quel magnifique numéro d'acteur ! Bravo Tommard ! Cela n'en valait pourtant pas la peine. Je n'ai nullement l'intention de vous empoisonner. Si tel était le cas, vous seriez déjà froid, raide, bleu. Et puis pourquoi tenez-vous tant à ce que je vous supprime ! C'est agaçant à la fin ! J'avoue qu'il m'est arrivé d'empoisonner quelques animaux pour le plaisir de la chasse, mais vous Tommard ! Vous n'êtes pas de ceux qu'on empoisonne.

Tommard repose le gobelet de Malevitch. Ce dernier se saisit du paquet de gâteaux, l'ouvre et en propose à Tommard. Celui-ci fait non de la tête. Malevitch en prend un, le trempe avec délectation dans son café (celui-là même où Tommard vient de cracher !) et le croque avec appétit. Tommard grimace de dégoût.

Malevitch — *(désignant le gobelet de Tommard)* Il va être froid.

Tommard — Vous m'avez coupé l'appétit.

Malevitch — Il va falloir que je change votre bandage.

Tommard — *(sec)* Non merci.

Malevitch — Comment ça non merci ? Vous n'y pensez pas ? Je dois vous soigner, Tommard. Il en va de ma responsabilité ! *(Il s'emporte.)* Ah non, là, vous n'y couperez pas ! Mettez-y un peu du vôtre, vous êtes désespérant ! Regardez-vous. Vous faites trois pas clopin-clopant et vous vous croyez tiré d'affaire. Je refuse de cautionner un tel comportement !

Tommard — Je me demande comment j'ai bien pu avoir cet accident ?

Malevitch — *(se calme instantanément)* Vous rouliez trop vite.

Tommard — Pas du tout. Sur des routes comme celle-là, je fais gaffe.

Malevitch — Ce n'est pas une route Tommard. C'est un sentier…

Il marque une pause pour ménager son effet.

Malevitch —… fermé au public. Sur un terrain domanial.

Il contemple Tommard pour apprécier la réaction.

Tommard — Qu'est-ce que vous me chantez là ?

Malevitch — Je ne chante pas. Je vous informe. Pour votre information, donc, ce sentier est, depuis environ deux mois, fermé aux automobilistes.

Tommard — Mais c'est impossible ! J'ai…

Malevitch — Laissez-moi vous dire ce que vous

avez fait Tommard. Vous êtes sorti de l'autoroute qui était encombrée.

Tommard — Mais oui, exactement! Je me suis arrêté à la petite station-service un peu après le péage, j'ai fait le plein et...

Malevitch — Vous avez demandé à la garagiste quelle route vous pouviez emprunter pour contourner l'autoroute. Classique!

Tommard le regarde médusé. Un temps.

Tommard — Elle m'a dit de suivre...

Malevitch — La nationale pendant deux à trois kilomètres et de prendre la petite route qui monte vers les bois sur la droite. Ce n'est pas très original vous savez. Je vous ai dit de vous méfier des femmes.

Tommard — Comment vous savez tout ça?

Malevitch — Vous n'avez pas remarqué en empruntant le sentier les deux poteaux sur lesquels sont habituellement fixées les chaînes?

Tommard — Mais non!

Malevitch — Erreur fatale!

Il se lève, se dirige vers son sac, et y plonge la main en regardant Tommard paralysé.

Tommard — Qu'est-ce que vous faites? Expliquez-vous bon dieu!

Malevitch sort de son sac une petite boîte. Il revient vers Tommard en ouvrant la boîte, en sort un morceau de sucre qu'il met dans son gobelet.

Malevitch — Grave erreur. Un café sans sucre, c'est un peu comme une chasse sans gibier.

Il reste debout, son gobelet à la main.

Malevitch — Où en étais-je? Ah oui, le sentier. Vous avez donc pris ce petit chemin, le cœur en fête, heureux de vous retrouver en pleine nature alors que d'innombrables automobilistes étaient pare-chocs contre pare-chocs non loin de là. Quel bonheur que de se distinguer de la masse, n'est-ce pas? On se sent divinement unique! Évidement, on souhaiterait la présence d'une autre personne pour constater, attester et partager cette supériorité. On imagine tous ces conducteurs ruisselant d'impatience qui piétinent leur embrayage, tous ces doigts qui fouillent des narines béates d'ennui et on se félicite d'avoir osé s'éloigner des sentiers battus en bénissant cette charmante femme qui a su prodiguer de si bons conseils.

Tommard — Vous connaissez la garagiste?

Malevitch — *(confession)* Je l'ai rencontrée il y a un an lorsque je me suis installé au village. Elle m'a racheté ma voiture. Nous avons sympathisé. Et puis un soir, alors que je passais devant son garage, elle m'a fait signe d'entrer. Nous sommes allés au fond de l'atelier…

Il s'arrête un instant et constate que Tommard l'écoute assidûment.

Malevitch — Elle voulait soi-disant me montrer des chatons qu'elle avait recueillis. J'adore ces animaux. Pas vous?

Tommard lui fait signe de continuer.

Malevitch — En fait, lorsque nous nous sommes penchés au-dessus du carton pour examiner les petites créatures, mon regard a plongé dans l'échancrure de sa blouse et je me suis aperçu qu'elle était totalement nue en dessous! Elle est restée accroupie à me regarder sans dire un mot en caressant un des chatons. Moi, je n'arrivais pas à détourner mon regard. J'étais pétrifié. Hypnotisé. Au bout d'un moment, sans me quitter des yeux, elle a sorti le chaton de la caisse et elle l'a glissé entre ses seins. Puis, elle a pris doucement ma main et lui a fait prendre le même chemin. Je me suis rapproché d'elle. Alors, elle s'est allongée sur le dos et a déboutonné complètement sa blouse. Le chaton s'était blotti entre ses seins laiteux et gonflés. Je ne sais pas comment, mais ma main s'est retrouvée sur ses lèvres brûlantes, puis sur son cou, puis sur son ventre frémissant. Et c'est alors que le mécanicien est entré et qu'il a dit : " Vous avez le bonjour du petit père Tommard ! "

Tommard tressaille. Malevitch ricane.

Malevitch — *(déchaîné)* C'est quand même prodigieux ça ! Les histoires de fesses vous êtes tout disposé à les entendre ! J'aurais dû m'en douter. La fesse ! J'aurais dû vous parler de fesse hier.

Il s'apaise.

Malevitch — Il fallait me le dire que cela vous démangeait. Je vous aurais raconté les mille et une nuits moi, hier soir.

Tommard — Cette garagiste est pas votre maîtresse ?

Malevitch — Mais non, grosse méduse libidineuse. *(Il le regarde méprisant et vide son gobelet d'un trait)* C'est Anna Malevitch.

Tommard — Votre femme ?

Malevitch broie le gobelet en plastique.

Malevitch — Vous ne retenez donc rien Tommard ! Je vous ai dit que je n'étais pas marié. Je ne... fréquente pas les femmes.

Tommard — Mais...

Malevitch — Anna Malevitch est ma sœur. Ma chère et tendre sœur. Une femme remarquable. Elle tient de ma mère une grâce naturelle et une énergie démesurée, et a hérité de son pauvre père d'une cruauté... éducative. Lorsque nous avions une quinzaine d'années, nous avons fait le serment de ne jamais nous séparer. *(Attendri)* La communion par le sang. *(Il croise ses poignets l'un sur l'autre)* Le pacte irrémédiable d'une plaie sur une autre.

Soupir.

Malevitch — Les gamins ne peuvent plus faire cela de nos jours. Nous avons tout partagé. Nous nous sommes tout raconté. Je devais lui dire tout ce que je savais sur les garçons et elle tout sur les filles. *(Rire)* Nous nous sommes rapidement rendu compte que j'avais plus à lui apprendre sur les filles et elle sur les garçons ! Nous étions programmés pour être des ennemis jurés et nous sommes devenus des jumeaux. Pas la "juméllité" des gènes, mais celle de l'esprit, du cœur.

Notre mère l'a difficilement supporté, évidemment. J'ai vécu de passions entre les querelles de ces deux femmes.

Rêveur. Lointain.

Malevitch — Anna a fini par avoir le dessus. Elle était plus lumineuse. Plus jeune aussi. Elle a fait comme Alexandre Le Grand, vous savez, pour dompter son superbe cheval. Comment s'appelait-il déjà? Bucéphale. Il le montait face au soleil. L'animal avait peur de son ombre.

Un temps.

Malevitch — Anna n'est jamais malade. Elle s'invente parfois des troubles lorsque je suis absent trop longtemps. *(Il revient sur terre)* Savez-vous qu'elle possède une collection absolument rarissime de langues de vipères. Elles sont parfaitement conservées. C'est moi qui lui ai enseigné la manière de procéder.

Tommard — Pourquoi elle m'a fait prendre ce chemin?

Malevitch — Parce qu'elle adore son grand frère.

Tommard — Quel intérêt?

Malevitch — Le mien. Une fois votre auto passée, je remets le panneau et les chaînes en place et je ne suis plus dérangé.

Tommard — Dérangé de quoi? *(Inquiet)* Quel rapport avec moi?

Malevitch — Vous? Vous êtes un fruit. Le fruit du hasard. Les portes du paradis se sont refermées sur nous.

Tommard — Au nom du ciel, expliquez-vous Malevitch!

Malevitch — C'est extrêmement simple. Vous êtes sur une route déserte. Ma route. Mon terrain de chasse. Ça, c'est la première étape. Ensuite, il s'agit de stopper la progression de l'animal. Plusieurs techniques…

Tommard — Mais…

Malevitch — Taisez-vous! L'objectif étant d'obliger sa proie à stopper sa progression, mon expérience en la matière m'a conduit à pratiquer la méthode de la fosse camouflée. Je creuse deux à trois fosses le long de la route, à intervalle d'environ deux kilomètres. Puis, je les recouvre de branchages, de feuilles et enfin de terre, de manière à camoufler mon piège. Selon mes probabilités, un véhicule sur sept peut échapper au premier piège. Selon mon expérience, aucun n'y a encore échappé.

Tommard entreprend de se lever.

Malevitch — Assis Tommard! Je n'ai pas fini. Ne m'obligez pas à vous menacer. Ce serait vulgaire. Votre cas devrait vous intéresser pourtant.

Il fait les cent pas comme un professeur qui dicte son cours.

Malevitch — Vous avez, comme les autres, roulé sur la fosse, votre roue avant gauche s'est enfoncée et vous avez perdu le contrôle de votre véhicule. *(Triomphant)* C'est infaillible! Certains y sont restés. Quel gâchis! Heureusement, vous vous en êtes sorti mon bon Tommard. Car, voyez-vous, et c'est la troisième étape, il n'y a pas de plaisir plus intense que de pouvoir humer la chaude respiration de l'animal pris dans son piège. Savez-vous que les chiens peuvent apprécier l'odeur particulière que dégagent les créatures lorsqu'elles ont peur. Quel délice! Que ne donnerais-je pas pour éprouver une telle sensation. *(Rêveur)* Avez-vous une idée de l'odeur que peut sécréter la peur Tommard? Je devine la vôtre. Un savoureux mélange… De l'ammoniac et du miel… de la vanille et du souffre.

Tommard se contracte comme s'il s'apprêtait à bondir.

Malevitch — Vous savez, je regrette réellement que vous ne soyez pas plus coopérant Tommard.

Tommard — Mais je le suis. Je...

Malevitch — *(il lève le nez en l'air, reniflant)* Oui, c'est ça mon vieux, je le sens. Pourtant, je vais devoir vous éliminer Tommard.

Ce faisant, il tourne autour de Tommard et le renifle.

Malevitch — Mais rassurez-vous, pas tout de suite.

Tommard — Quand ?

Malevitch — Plus tard.

Tommard — Et les autres ?

Malevitch se fige, un peu surpris par la question de Tommard, puis il arrête son petit jeu pour devenir sérieusement inquiétant.

Malevitch — Les autres ont eu moins de chance que vous. Quelques-uns n'ont pas eu le temps de faire ma connaissance, d'autres m'ont laissé d'agréables souvenirs.

Tommard — *(étrangement calme)* Une alliance par exemple ?

Malevitch — *(il se place devant Tommard et lui tourne le dos)* Vous êtes terre à terre Tommard.

Tommard — Où sont-ils ?

Malevitch — Mais là. *(Il écarte les bras)* Ils sont là, avec nous. Ils reposent parmi les mousses et les fougères, soigneusement enterrés, et pour ça, vous pouvez me faire confiance. Je me suis bien occupé d'eux. J'ai été un médecin, un père, un amant. Je les ai guéris, choyés... apprivoisés. Puis libérés.

Tommard — Et les voitures?

Malevitch — *(toujours de dos, il tourne la tête de côté)* Vous oubliez que ma sœur tient un garage, mon cher. Elle adore travailler sur des autos qui ont vécu.

Tommard se lève en douceur. Malevitch le regarde par-dessus son épaule puis tourne tranquillement la tête face au public, sûr de lui, maître de la situation.

Malevitch — Ne vous fatiguez pas Tommard. Vous ne pouvez pas m'échapper. Profitez plutôt de cette merveilleuse journée.

Tommard réussit à atteindre la voiture. Il se déplace mieux que ce qu'il semblait capable de faire.

Malevitch — Si nous parlions un peu de vous?

Tommard s'appuie à la portière avant de la voiture, dos au public.

Tommard — *(il pousse un cri comme pris d'un malaise subit)* Ahhhh! Docteur, aidez-moi!

Malevitch se retourne brusquement et se précipite vers Tommard.

Malevitch — Qu'est-ce qu'il y a mon petit?

Au moment où Malevitch est contre Tommard qui lui tourne toujours le dos, ce dernier fait un pas de côté et on voit sa main agripper celle de Malevitch et l'emprisonner dans une paire de menottes dont l'autre extrémité est accrochée à la poignée de la portière. Puis il fait un bond sur la gauche pour se mettre hors de portée de Malevitch qui après une seconde de stupeur, tire comme un forcené sur la menotte.

Malevitch — Qu'est-ce que... Tommard! Libérez-moi tout de suite! *(Il s'acharne sur les menottes)* Ôtez-moi ça, vous m'entendez!

Tommard sort magistralement son portefeuille de la poche intérieure de son pardessus et l'ouvre en présentant sa carte de police à Malevitch stupéfait.

Mâchoires serrées ce dernier va suivre un moment la petite démonstration de joie de Tommard avant de se plonger dans un abîme de réflexions.

Tommard jubile. Il exécute quelques petits pas de danse triomphants, serre le poing comme un sportif vainqueur et jette des regards supérieurs à Malevitch.

Puis il se calme, allume une cigarette et regarde (toujours à distance) Malevitch comme un chasseur satisfait de sa prise.

Tommard — La fête est finie Malevitch! Ça vous la coupe hein? Et oui, clic clac! tel est pris qui croyait prendre! La victime se rebiffe! L'inspecteur Tommard sort ses griffes! Terminus tout le monde descend! Le coup de filet du siècle!

Malevitch reste muré dans son silence.
Tommard poursuit en s'enflammant.

Tommard — Oh c'est sûr j'ai risqué gros. Très gros même. Quand j'ai eu l'accident j'ai vraiment cru que j'allais y passer. Et puis quand je vous ai vu débarquer, je me suis dit, mon petit Bertrand, y a une bonne chance pour que cet énergumène soit le type qu'on recherche depuis 6 mois. Alors j'ai préféré garder mes cartes en mains. Mais j'étais pas fier ! Ça ! Avec mon épaule blessée j'étais complètement à votre merci. J'aurais pu y passer 10 fois ! Seulement j'ai de la psychologie moi. J'ai bien compris à qui j'avais affaire. Un gars comme vous ça aime s'amuser un peu avant de passer à l'acte. Alors j'ai attendu patiemment jusqu'au dernier moment et hop ! Le piège se referme sur le chasseur chassé !

Tommard ramasse la canne de Malevitch et le touche d'une extrémité (comme un dresseur voulant sortir un fauve de sa torpeur).

Tommard — Alors ? On fait plus le malin hein !?
Malevitch lève la tête puis tente de contenir un fou rire qui finit par éclater.

Tommard le regarde consterné.

Malevitch — Ha ha ha ! Ahhhh mon Tommard ! Comme je vous aime ! vous êtes magnifique ! Une merveille de l'espèce ! Ah ! Laissez-moi vous serrer dans mes bras ! *(Tommard à un mouvement de recul)* Non tiens, je vous en prie, embrassons-nous !

Tommard — *(un peu décontenancé)* Je… je vois qu'on est bon perdant.

Malevitch — Perdant ? Mais comment serais-je perdant ? Vous m'avez offert le numéro le plus extraordinaire qu'il m'ait été donné de voir. Comparé à vous, Maigret est un vigile de supermarché ! Ah non là, j'ai été bluffé sur toute la ligne !
Voilà qu'hier je tombe sur un pauvre bougre mal en point échoué comme un baleineau sur le bord de la route et qu'aujourd'hui, après qu'il m'ait joué le vilain petit canard boiteux, je découvre en

face de moi la fine fleur de la police nationale ! Inspecteur Tommard, le prince de la couverture, le Bogart des sentiers perdus ! Alors là, chapeau Tommard ! Non mais il faut tout me raconter. Je veux tout savoir !

Tommard — C'est à vous qu'on va demander des explications Malevitch ! Et croyez-moi, il va falloir faire le grand déballage !

Malevitch — Remarquez, l'imper et les cheveux gras... j'avais une piste.

Tommard — Ta gueule Malevitch ! J'ai dit que le petit jeu était terminé ! *(Il s'avance menaçant)*

Malevitch — Ah n'approchez pas ou je vous roule une pelle !

Tommard — Mais tu comprends pas ? C'est fini pour toi ! Tu vas croupir en prison !

Malevitch — Comme vous y allez Tommard. Et votre tutoiement est un peu déplacé. Maigret ne se serait jamais permis...

Tommard — *(l'empoignant)* Écoute-moi bien sale dingue ! Maintenant c'est moi qui mène le jeu, compris ?

Malevitch — Ah non ! Pas de brutalité Tommard ! *(Allusion aux menottes)* Et ôtez-moi immédiate- ment cette horrible gourmette !

Tommard — *(retrouvant son calme)* Vous n'avez qu'à faire votre gymnastique chinoise *(il imite la gestuelle de Malevitch).* Y a pas le poisson scie dans votre bestiaire !

Malevitch — *(demandant d'une voix douce)* Tommard, s'il vous plaît.

Tommard — INSPECTEUR Tommard ! Vous êtes un dingue Malevitch. Seulement maintenant, c'est moi qui mène la danse. *(Il le titille de la pointe de la canne)* Je vais vous rabaisser votre caquet moi. Vous avez bassement profité de la situation pour m'humilier, me rabaisser, me maltraiter. Vous vouliez aller jusqu'où avant de me tuer ? J'étais votre joujou hein ? Vous avez fait mumuse avec le bon gros Tommard ! Vous vous sentiez supérieur. Vos petits jeux pervers là. Un coup on répare, un coup on casse ! Et ben c'est moi qui vais casser maintenant ! Vous êtes plus maître de la situation. Il va falloir que vous vous mettiez à table parce que ma médecine à moi, c'est pas de la médecine douce ! C'est pas l'épaule que je vais vous remettre en place moi, mais c'est les idées ! À coups de pompes dans la tête !

Malevitch le regarde, serein, en jouant avec la chaîne des menottes.

Tommard — Sept disparitions, sept meurtres. Ça en fait des choses à raconter. Et puis y en a peut-être d'autres ? Hein ? Combien il en a tué le dingue ? Dix ? Vingt ? Et moi, comment il comptait me trucider ?
Allez ! Tournez-vous ! Les mains sur le capot !

Il le plaque contre la voiture pour procéder à une fouille. Malevitch se laisse faire comme par jeu.

Tommard — Les jambes ! Bien écartées. Mieux que ça !

Malevitch — Vous me chatouillez Tommard !... Eh ! Doucement !

Il prend un coup de genoux et pousse un cri étouffé. Tommard le palpe de haut en bas et

vide ses poches. Il jette le livre, le bloc de des-
sin, etc. et se saisit du portefeuille de Malevitch
dont il examine le contenu en reprenant ses dis-
tances.

Malevitch — *(En se retournant, choqué)* Non
mais on nage en plein délire là! Vous vous
croyez à Los Angeles, shérif Tommard?
Tommard est plongé dans le contenu du porte-
feuille de Malevitch.

Malevitch — Vous n'avez pas le droit! Eh oh!
Tommard ouvre la carte d'identité de Malevitch
et s'attarde un instant sur la photo.

Tommard — Une bonne petite tête de sadique
ça! De tueur psychoprate!

Malevitch — Psychopathe. Pas Psychoprate.

Tommard — C'est ça, jouez sur les mots!
Pinaillez! On verra quand vous serez en taule!
(Il prend un air affecté et un ton précieux
censé imiter Malevitch).
Pardonnez-moi cher ami, mais il y a quelques
courants d'air dans ma cellule et je crains d'attraper un coup de frais. Auriez-vous l'obligeance de
faire procéder à quelques colmatages?
Héhé! Croyez-moi, en taule, c'est autre chose
qu'on va vous colmater Malevitch!

Malevitch — Oh! C'est d'un goût!
Tommard sort du portefeuille une vieille photo.

Tommard — Qui c'est?

Malevitch — Remettez immédiatement cette
photo où vous l'avez prise!

Tommard — Mais arrêtez de tirer comme ça sur
les menottes Malevitch. Vous dégradez le maté-

riel. Si vous croyez qu'on nous en donne une neuve après chaque arrestation !

Malevitch — Vous n'avez pas le droit !

Tommard — J'ai tous les droits. Vous êtes en état d'arrestation Malevitch.

Malevitch — Et vous en état d'ébriété mentale !

Tommard — *(allusion à la photo)* Alors, c'est qui ? Il y a un petit air de famille.

Malevitch — C'est ma mère.

Tommard — Eh ben, si elle savait la pauvre femme.

Malevitch — Soyez gentil, rangez cette photo.

Tommard — Bah tiens ! Vous voulez pas me la laisser que je vous fasse faire un joli petit cadre ? Il restera peut-être un peu de bois quand on aura fini tous les cercueils !

Il range le portefeuille dans sa poche et conserve la photo entre deux doigts, narguant Malevitch apparemment contrarié.

Tommard — À propos, si on parlait un peu de vos crimes ? Gérard Bergole, disparu le 6 janvier dernier, le premier de la liste. Vous lui avez fait quoi à lui ?

Malevitch — Vous savez parfaitement que j'ai inventé toute cette histoire et que je ne suis pour rien dans ces disparitions !

Tommard — Non mais vous me prenez pour une praire ou quoi ?

Malevitch — Bon ça suffit Tommard. Je commence à ne plus trouver cela drôle du tout. Alors vous me détachez et puisqu'apparemment vous pouvez très bien marcher, on va aller tous les deux au village pour régler cette affaire.

Tommard — Alors, vous lui avez fait quoi à Bergole? Vous avez peut-être commencé par lui réparer son bras à lui aussi?

Il déchire avec application un morceau de la photo (correspondant au bras).

Malevitch — Laissez cette photo!

Tommard se débarrasse du morceau d'une pichenette.

Tommard — Ou alors c'étaient les jambes?

Il déchire avec un petit sourire sadique une nouvelle partie de la photo.

Malevitch — *(entre ses dents)* Arrêtez ça.

Tommard — Dommage, de si jolies jambes! Elle a dû en faire tourner des têtes! *(Il jette les jambes et présente à Malevitch ce qu'il reste de la photo).* C'est sûr que maintenant, vous vous retrouvez avec une mère cul-de-jatte!

Malevitch — Vous êtes... pitoyable.

Tommard — Alors? Vous ne retrouvez pas la mémoire? Bon ben on va s'attaquer à la tête. Je fais pas d'anesthésie hein?

Il déchire d'un coup sec le reste de la photo.

Malevitch — Mais comment j'ai pu m'attacher à vous Tommard? Vous n'êtes qu'un petit caporal frustré!

Vous ne comprenez pas qu'il s'agit d'une pure coïncidence? J'aurais pu vous raconter n'importe qu'elle autre histoire! J'aurais pu être un garde forestier, un ermite sourd-muet, un évadé de prison...

Mon seul désir était de vous faire plaisir et, certes, de vous bousculer un peu. J'avais envie que, une fois rentré chez vous, vous racontiez à vos proches comment vous aviez échappé à un terrible destin !

Oh, je l'avoue, je n'ai pas fait preuve d'une grande imagination. Tous les jours et depuis des semaines, les journaux parlent de ces mystérieuses disparitions… de ce tueur vagabond qu'on aurait aperçu à plusieurs reprises dans la région. La première chose qui me soit venue à l'esprit, c'est de broder sur cette histoire, c'est tout !

Je ne suis pas celui que vous recherchez. Ce qui est extraordinaire, c'est que vous soyez venu précisément ici pour entendre cette histoire ! Que nos routes se soient croisées sur deux mensonges, ça c'est incroyable ! Et à l'heure qu'il est, nous devrions trinquer autour d'une bonne bouteille en nous extasiant d'une telle coïncidence !

Tommard — Ça y est ! Il recommence à me prendre pour une praire ! Je suis pas une praire Malevitch, je suis une chèvre ! Vous savez, une chèvre qu'on attache à un piquet pour attirer le loup ! Et avant qu'elle se fasse croquer, hop ! Coincé ! C'était vous le gibier, pas moi. La tortue était une chèvre et la chèvre un renard !

Malevitch — Un poulet oui.

Tommard — Vous fatiguez pas. J'en sais suffisamment pour vous faire coffrer. Vous m'avez tout raconté ! Les pièges, les corps enterrés par là ; je vous cite «…parmi les mousses et les fougères ». Vous m'avez même menacé ! Alors à quoi bon continuer votre baratin. Vous inquiétez pas, vous allez pouvoir tout expliquer. Mais vous voyez, avant, j'ai envie de m'amuser un peu moi aussi.

Chacun son tour! On est pas pressés!
On peut causer un peu tout de même. Tenez, je
vais vous raconter comment je suis arrivé là.
Vous allez voir. C'est scientifique!

À la manière de Malevitch qui expliquait le
paradoxe de Zénon au début de leur rencontre,
Tommard fait une « démonstration » en « tra-
çant » un schéma sur le sol avec la canne.

Tommard — Suivez-moi bien. *(Il glousse, faisant*
allusion aux menottes) Enfin, façon de parler!
Les disparitions ont eu lieu, en gros, à proximité
de quatre villages. *(Il « dessine » 4 cercles qu'il*
va relier par un trait) En les reliant les uns aux
autres, ça donne une sorte de forme géomé-
trique entre le carré et le losange. Moi, j'ai eu
l'idée de tracer des diagonales entre les points,
comme ça. Et voilà, qu'est-ce qu'on obtient au
centre? Un triangle. Le triangle des Bermudes!
Je l'ai appelé le THD! Le triangle hypothétique
des disparitions! Le périmètre du tueur! On y est
en plein!

Malevitch — Eh oh, Tommard, « coucou » je suis
là! Je vous rappelle que je suis enchaîné à votre
portière. Auriez-vous l'obligeance de me déta-
cher je vous prie?

Tommard ne prête pas attention à lui.

Tommard — Vous savez ce qu'on m'a dit quand
j'ai proposé d'aller faire une petite balade de
reconnaissance, juste pour voir? « Tu ferais
mieux d'aller à la pêche mon petit Tommard! »
Les cons! J'ai été obligé de… heu… disons
emprunter la bagnole à mon beau-frère. Parce
que pour se faire attribuer un véhicule banalisé le
week-end, j'vous explique pas le binz!! Quel

métier. Tout est foireux, vieillot, on n'a pas un rond et on est traités comme des sous-merdes! Et en plus, il faut qu'on mette la main sur des caïds!

On a des bagnoles toutes pourries avec lesquelles on est censés filer le train à des malfrats qui roulent en BM!

Et en été, alors là! Les truands ils sont tranquilles, peinards, la climatisation, les sièges en cuir...

Et nous, on est dans un tas de ferrailles, un four qui pue la clope froide et le vomis du clodo qu'a gerbé la veille sur la banquette arrière. À chaque virage, il y a le cardan qui va flancher, et avec tout ça, en avant les courses poursuites! Non mais elle est belle la police!

Malevitch — Bon Tommard, vous allez me bassiner longtemps avec vos histoires? C'est inintéressant au possible!

Et puis *(il martèle sur la voiture)* ô-tez moi ces me-no-ttes!

Tommard — Oh oh oh oh! Ça va pas non?! Doucement avec la voiture à Francis! Vous croyez pas que vous l'avez suffisamment abîmée comme ça?

Malevitch reste bouche bée.

Tommard se penche sur le sac de Malevitch qu'il vide sans ménagement.

Malevitch — Vous êtes un ancien douanier?
Tommard ne trouve rien d'autre que des affaires de « randonneur ».

Malevitch — Je vous conseille de remettre soigneusement ces affaires dans mon sac!

Tommard met la main sur un lacet de cuir qu'il présente à Malevitch avec un sourire de satisfaction. Il enroule chacune des extrémités autour de ses mains et le tend comme s'il voulait étrangler quelqu'un.

Tommard — C'est costaud ça dites-moi !

Malevitch — La preuve que non, j'ai cassé ce lacet le mois dernier.

Tommard — *(empochant le lacet)* Vous êtes tombé sur... un os ?

Malevitch — Ah ah ah ! Vous êtes... à couper le souffle !

Un temps.

Tommard —... Fait chaud non ?

Il retire son imper.

Il ouvre le coffre et en sort une canette de bière.

Tommard — Je ne vous en offre pas hein ? Elle est tiède.

Il la décapsule et lève son « verre ».

Tommard — Allez ! Au plus beau coup de filet du siècle !

Il boit et prend une mine désolée en regardant la voiture.

Tommard — Il va faire la gueule mon beauf, quand il va voir dans quel état vous avez mis sa voiture. Remarquez, quand il verra ma bobine dans les journaux ! Et ce con de Berthelo ! Quelle tête il va faire ! Je vois ça d'ici !
(À Malevitch) Berthelo c'est un collègue. Enfin, un peu au-dessus de moi. Je peux pas le voir ! Toujours avec ses blagues débiles ! « Alors mon p'tit Tommard, pas encore motard ? »

Tommard/Motard! Voyez le genre!
Mais je vais lui dire ce que je pense de lui moi, à cette fouine!
(Il va s'enflammer et s'en prendre progressivement à Malevitch comme s'il était Berthelo) Jamais un mot gentil. Toujours à lancer des petites piques à droite à gauche! Et quand on lui serre la main, on a toujours l'impression qu'il vous regarde comme si on venait de lui voler quelque chose.
(Malevitch montre des signes d'impatience). Eh ben t'es qu'une face de fouine! Voilà ce que je vais lui dire à Berthelo.
(À Malevitch) T'es moche, t'es sale, et t'es pas foutu de taper un rapport sans faire dix fautes par lignes! Non mais pour qui tu te prends avec tes grands airs? Tu sais comment on t'appelle avec les gars? Le putois! Tu transpires tellement que quand on rentre dans ton bureau, ça pique les yeux! T'as jamais remarqué que personne venait jamais s'asseoir à côté de toi au resto? Oh ça pour faire des ronds de jambes au grand boss, ça, tu sais faire. Là, y a pas de faute! Une serpillière, voilà ce que t'es! Et je te préviens, le Tommard, le motard et le p'tit marteau, ils vont t'attraper et agrafer tes oreilles poilues à ton bureau!!

Malevitch — *(tendant une main et présentant l'autre menottée)* Bien, sur ce, il se fait tard et je dois malheureusement vous quitter.

Tommard — *(émergeant, amusé)* C'est marrant mais, vous voyez Malevitch, je vous déteste presque moins que Berthelo. Vous c'est pas pareil, vous êtes un dingue. Vous faites plus la différence entre ce qui est bien et ce qui est mal.

Oh, ça veut pas dire que je vous excuse, je serais même tenté de faire justice moi-même, voyez, mais comparé à Berthelo, vous au moins, vous avez le mérite d'être plus inventif au niveau des surnoms!

Malevitch fait signe qu'il ne comprend pas l'allusion.

Tommard — Colin! Vous m'avez appelé Colin! Grave erreur docteur! J'ai tout de suite pigé. C'est le prénom d'un des disparus!

Malevitch — Ridicule!

Tommard — Ah oui?

Malevitch — Dites-moi, dans vos disparus...

Tommard — Ce sont les vôtres Malevitch, pas les miens!

Malevitch —... dans vos disparus, il n'y en a pas un par hasard qui portait des chaussettes bleu marine? *(Il soulève une jambe de son pantalon)* Regardez! C'est peut-être les siennes! Faites-les analyser, vous y trouverez certainement des traces de pas!

Tommard — Très drôle!

Malevitch — Colin est mon deuxième prénom. Si vous aviez regardé plus attentivement ma carte d'identité!

Tommard hésite un instant. Il affronte le regard dédaigneux de Malevitch et se résout à consulter de nouveau la carte d'identité. Un temps pendant lequel Tommard constate que Malevitch dit vrai, mais ne veut pas l'admettre.

Tommard — *(reniflant)* Vous êtes limite! Cette carte sera périmée dans 15 jours!

Malevitch — *(riant devant la mauvaise foi de Tommard)* À quoi jouez-vous Tommard ?

Tommard — Moi ? Disons que je savoure ma victoire. Et puis, j'ai pas envie d'affronter tout de suite la presse, les journalistes, tout ça.

Malevitch — Vous allez tomber de très haut mon pauvre Tommard.

Tommard — Cause toujours c'est du velours !

Malevitch — Tout ce que vous pouvez me reprocher, c'est de vous avoir gardé près de moi. C'était une décision de médecin ! Vous pouvez la contester mais… si vous n'aviez pas joué au malade !

Tommard — Comment ça ! Vous croyez que j'ai fait exprès de me scratcher en bagnole !! Vous avez vous, même remis mon épaule !

Malevitch — Et votre cheville Tommard. Si vous aviez réellement une entorse, vous ne pourriez pas marcher comme cela.

Tommard — *(malicieux)* C'est vous qui avez diagnostiqué une entorse !

Malevitch — La cheville était enflée… l'œuf classique.

Tommard — Ah ah ah ! Vous avez diagnostiqué une entorse d'il y a trois ans ! Comme elle a été mal soignée, elle est toujours enflée…

Malevitch — C'est très laid ce que vous avez fait Tommard !

Tommard — Non mais c'est le monde à l'envers !

Malevitch — Si vous n'aviez pas fait semblant d'être incapable de marcher, j'aurais pu envisager de vous accompagner jusqu'au village. Il n'est qu'à une heure et demie de marche.

Tommard — J'avais quand même un peu mal au début.

Malevitch — Vous n'avez aucune excuse Tommard !

Tommard — Quel culot ! Mais quel culot ! Vous êtes l'auteur d'au moins sept meurtres et vous jouez au procureur !

Malevitch — On ne vous a pas appris à réunir des preuves avant d'accuser ?

Tommard — Ah non. Les preuves ça vient après. Moi, je fonctionne d'abord sur une conviction personnelle. Et croyez-moi, vous m'avez convaincu !

Malevitch — Vous pensez vraiment que si j'étais un tueur je vous aurais tout raconté ?

Tommard — Ben oui ! Une fois sous terre je risquais pas de vous déranger !

Malevitch — *(serein)* Vous pourrez retourner chaque centimètre carré, vous ne trouverez pas un seul fragment d'os humain !

Tommard — C'est ce qu'on verra.

Malevitch — Et puis d'ailleurs, je ne vous autoriserai pas à creuser chez moi !

Tommard — Chez vous ?

Malevitch — Vous êtes sur une propriété privée mon vieux ! Cette terre m'appartient !

Tommard — Vous ne doutez de rien !

Malevitch — Deux cents hectares ! Vous appelez cela rien !

Tommard — Et l'autoroute du sud ! Il appartient à votre sœur !

Malevitch — Le chemin qu'on vous a conseillé est

effectivement sur la droite après le virage mais 50 mètres plus loin!

Tommard — Mais oui bien sûr.

Malevitch — Vous n'êtes pas le premier vous savez. Et tout cela est simple à vérifier! De même que vous pourrez prendre connaissance de ma plainte déposée auprès des services de POLICE rapportant que depuis des semaines, une bande de jeunes motards ne trouvent pas mieux à faire que de retirer les chaînes et les panneaux d'interdiction de passage pour aller faire du cross sur MON sentier et creuser des ornières dangereuses pour les automobilistes égarés! Non mais que fait la police?!

Tommard — *(doutant, commençant à perdre le dessus)* Vous... vous ne m'aurez pas Malevitch!

Malevitch — Faites votre métier Tommard!

Tommard semble ébranlé. Il le jauge un instant du regard et sort de scène en suivant les traces laissées par sa voiture sur le sentier.

Malevitch — Où allez-vous? Hé! Ne me laissez pas tout seul ici enchaîné à cette voiture! Tommard!

Tommard — *(off)* Eh bien alors? On a peur tout seul dans sa petite forêt?

Malevitch — *(il regarde en direction de Tommard)* C'est cela! Inspectez les crevasses, inspecteur! Vous ne trouverez aucune traces de camouflage! Ces trous résultent des orages des jours derniers et de ces salopards de motards... Tommard!

Tommard revient sur scène, préoccupé, le visage défait. Malevitch le regarde, triomphant.

Tommard — *(dépité)* Vous aussi vous vous y mettez? Tommard/Motard.

Malevitch — Si vous me disiez ce que vous compter faire exactement, je pourrais peut-être vous aidez.

Tommard ramasse le livre de Malevitch et l'ouvre songeur.

Tommard — Dites-moi, ça rapporte d'écrire un bouquin?

Malevitch — Le poulet veut se reconvertir dans la plume?

Tommard — *(Soulignant un titre imaginaire devant lui)* « Les sept meurtres du docteur Malevitch »! Joli titre hein? Non! J'ai encore mieux! « Le paradoxe de Tommard »! Hé hé! C'est mystérieux, pas trop racoleur, et en plus, il y a mon nom dans le titre!

Malevitch — Vous comptez peut-être sur moi pour écrire la préface?

Tommard — Mais c'est une idée ça! Vous raconterez comment vous, une intelligence supérieure, vous avez été piégé par un simple flic sans défense. Hé! Insistez bien! Sans défense! J'ai même pas mon arme de service!

Malevitch — Qu'auriez-vous fait d'une arme? Vous ne feriez pas de mal à une mouche!

Tommard referme vivement le livre de Malevitch comme s'il écrasait une mouche entre les pages et se dirige vers le coffre de la voiture dans lequel il farfouille un moment. Puis il en ressort un jerrican d'essence.

Malevitch — Qu'est-ce que vous voulez faire avec ça?

Tommard — *(dévissant le bouchon)* Je me dis qu'en faisant un petit feu, on finira bien par attirer du monde.

Malevitch — Non! Vous n'allez tout de même pas mettre le feu Tommard?! Vous n'y pensez pas!

Soudain, Tommard l'asperge d'essence!

Malevitch — *(essayant d'éviter les jets d'essence)* Oh! Mais vous êtes devenu fou! Arrêtez! Qu'est-ce qui vous prend!? Mais arrêtez!

Tommard — Moi, à votre place, je trouverais que ça sent le roussi.

Dégoûté et incommodé par l'odeur, Malevitch grimace en tentant d'écarter ses vêtements imbibés.

Tommard fait couler le reste d'essence sur le sol jusqu'à la voiture sous laquelle il glisse le jerrican. Puis, fier de lui, il regarde Malevitch avec un sourire en coin.

Malevitch — Vous allez me payer ça Tommard.

Tommard — Vous voulez parler de vos vêtements? Ça va être du flambant neuf! Hi hi hi!

Malevitch — Vous n'êtes pas drôle Tommard…

Tommard — J'ai encore jamais vu une voiture exploser!

Malevitch —… et vous ne me faites pas peur.

Tommard — *(prenant ses distances, inquiétant)* Ah oui?

Malevitch — Vous êtes un looser mon vieux. Un bon gros perdant, incapable de transgresser quoi que ce soit et de nuire à quiconque. Vous avez inversé les rôles en faisant de moi la petite tor-

tue. Mais souvenez-vous du paradoxe Tommard !
Vous ne pouvez pas gagner ! Vous ne me rattra-
perez jamais ! Vous détenez la clé des menottes
mais c'est moi qui ai tissé le fil de l'histoire !!
Et ce fil vous ballote comme une marionnette !
(Rire hystérique).
Vous aurez toujours une fable de retard !
Et quelle imagination ! À quoi jouez-vous là ?
Vous me refaites une scène de série B avec votre
essence ? Êtes-vous seulement capable d'allumer
un barbecue !

Tommard sort son paquet de cigarettes.

Tommard — Cigarette ?

Malevitch —…

Tommard — Non ?

*Tommard met une cigarette entre ses lèvres et
prend son briquet pour l'allumer. D'un geste
théâtral il actionne son briquet mais… aucune
flamme n'en sort. Il tente à plusieurs reprises
de l'actionner mais sans résultat ! Perdant de sa
contenance, il s'énerve et s'acharne en secouant
son briquet.*

Tommard — Rahh ! Saloperie !

Malevitch — *(s'esclaffant)* Qu'est-ce que je disais !
Typique du perdant ça ! Même les objets sont
contre lui !

*Malevitch sort de la poche de sa chemise une
pochette d'allumettes qu'il lance dans la direction de Tommard.*

Malevitch — Tenez.

*Consterné, celui-ci ne l'attrape pas. Il la regarde
tomber à ses pieds. Il encaisse.*

Un temps.

Tommard — *(inoffensif)* Ne me provoquez pas Malevitch !

Malevitch — Allons Tommard. Soyez raisonnable. Vous n'êtes pas fait pour ce petit jeu. Vous ne pourrez pas m'atteindre.

Tommard a perdu le dessus. Il s'assied, sort son mouchoir et s'éponge le front. Puis il prend la pochette d'allumettes et va machinalement les casser en deux au fur et à mesure.

Tommard — Je suis pas un « looser » comme vous dites. Je suis juste un gentil. Un bon gros gentil. Et les gentils, ça se fait bouffer.

Malevitch — *(timide allusion à la corpulence de Tommard)* Oh, il en reste encore hein.

Tommard — C'est pas fait pour ce monde-là les gentils. Ça peut pas survivre longtemps. Moi, j'ai jamais manqué de respect à qui que ce soit. Jamais. Toujours serviable, toujours arrangeant. Jamais un mot plus haut que l'autre. La bonne poire quoi. J'ai jamais demandé quoi que ce soit à personne…
(Un temps).
Enfin si. Une fois. À ma femme. Quand je lui ai demandé de rester…

Malevitch — (allusion aux menottes) C'est… poignant ! *(se massant le poignet)* Dites, elles sont faites en quoi vos menottes parce que j'ai l'impression que je fais une petite allergie là !

Tommard — « Ce brave Tommard ». Voilà ce que j'ai entendu toute ma vie. Autrement dit, « ce con de Tommard » oui !

Malevitch — Mais non, mais non…

Tommard — Les gens, quand on est gentil avec eux, ça les étonne. Ils se méfient. Ils se demandent si il y a pas anguille sous roche! Comme si on pouvait pas faire les choses gratuitement. Tenez, on dit « rendre service ». Pas « donner service », non, « rendre »! Comme rendre la monnaie de la pièce.
Dans la tête des gens, être gentil c'est être faible. Comme si c'était facile de faire le dos rond… C'est tout le contraire oui. Faut être sacrément costaud pour supporter le mépris des autres. De toute façon, les gentils, ça intéresse personne.
« T'es transparent » qu'elle m'a dit. Moi, je crois que si on est transparent, c'est qu'on est pur.
La gentillesse, y a que les mômes qui comprennent ça. Seulement ma Catherine, elle a jamais voulu…

Malevitch — Là moi, je suis au bord des larmes!

Tommard — Attention Malevitch! Le gentil, le jour où il se met en colère, il est capable de tout! Vous comprenez? Un beau jour, ça finit par exploser!

Malevitch — Oui, eh bien il faut garder cette énergie pour votre collègue Berthelo hein! *(Tendant son bras menotté)* Allons, soyez… gentil!

Tommard — Parce que je pourrais péter les plombs moi aussi! D'ailleurs, si c'est pas vous le tueur en série, ça pourrait bien être moi!

Malevitch — Non, pas vous Tommard! Vous, vous êtes un bon flic!

Tommard — Je suis plus flic.

Malevitch — Comment ça?

Un temps.

Tommard — Une caisse de mousseux, trois bols de cacahuètes et une belle canne à pêche de la part de tout le service ! « Allez ! Bon vent Tommard ! Sacré veinard ! Et tâche de bien profiter de ta retraite ! ».

Malevitch — Attendez ! Vous voulez dire que vous êtes à la retraite ? !!

Tommard — Et alors ? Je vais me mettre à mon compte comme détective.

Malevitch — Et... votre carte ?

Tommard — J'ai « oublié » de la rendre.

Malevitch — Non mais vous êtes un cas vous savez ! Vous êtes sidérant ! Vous me menez en bateau depuis le début !

Tommard — Oui et ben moi, le bateau, ça me donne mal au cœur.

Tommard se lève, enfile son imperméable et fait face à Malevitch.

Tommard — Et puis vous aviez raison, j'ai jamais fait de mal à une mouche alors vous pensez si je vais m'amuser avec un... frelon !

Il plonge une main dans la poche de son imper et en sort la clé des menottes qu'il soupèse un instant sans quitter Malevitch des yeux.

Malevitch — *(présentant sa main pour être libéré)* Allez, sans rancune mon bon Tommard. Et encore bravo !

Tommard — Je sais pas ce que j'ai depuis que je bosse plus, je suis tête en l'air. Vous me croirez si vous voulez mais... *(il jette la clé dans les buissons)*...j'ai paumé la clé des menottes.

Malevitch — Mais… c'est idiot ce que vous faites!

Tommard tourne les talons.

Malevitch — Où allez-vous?

Tommard — *(il s'arrête sans se retourner)* La ligne d'arrivée est peut-être pas loin mais la course n'est pas terminée Malevitch.

Malevitch — Vous n'allez pas partir tout seul! C'est dangereux par ici!

Avant de sortir, Tommard se retourne une dernière fois.

Tommard — Puisque vous êtes si fort, essayez donc de me rattraper!

Il sort.

Malevitch — Tommard! Revenez immédiatement! Je vous ordonne de… Tommard! Attendez! Tommard! Tommard!

Noir.
Rideau.

LA COLLECTION **Théâtre en Poche**

*publie des pièces aux sujets contemporains
de jeunes auteurs et d'auteurs confirmés.*

LE QUAI *de Philippe Beheydt*

LA BOÎTE EN COQUILLAGES *de Philippe Beheydt*

INDEPENDENCE *de Lee Blessing*

GIROISE - LA PORTE *de Jean-Claude Carrière*

VOIES DE GARAGE *de Thierry Chaumillon*

LES ABÎMÉS *de Michaël Cohen*

LE SOLEIL EST RARE (ET LE BONHEUR AUSSI)
de Michaël Cohen

IL EST GRAND TEMPS *de Tom Cole*

LE KEURPS *de Gilles Costaz*

LE ROMAN DE LULU *de David Decca*

JOSEPHA.COM OU LE BÉBÉ DANS LA TÊTE
de Marie Degain

FAITS DIVERS POUR UN NON-LIEU *de Franck Evrard*

PAROLES PARLÉES *de Sylvie Florian-Pouilloux*

L'ÉPRIS DES LOIS *de Sylvie Florian-Pouilloux*

L'AUDITOIRE *de Guy Foissy*

LES BLEUETS, OPUS 74 *de Tim Fountain*

LE ROI-CERF *de Carlo Gozzi*

TOUT EST DANS LE TIMING *de David Ives*

RUDE JOURNÉE POUR LE PAPE *de Élisabeth Janvier*

LE PARADOXE DE ZÉNON *de Didier Lejeune*

L'HOMME QUI LISAIT *de Olivier Lorelle*

LE MAESTRO *de Luigi Lunari*

TA FEMME *de Benoît Marbot*

NONCHALANTE INDOCHINE *de Benoît Marbot*

CLOACA MAXIMA *de Pierre Mathiote*

LE VRAI ET LE FAUX O'BRIEN *de Patrizia Monaco*

PARFUM D'ÉTÉ *de Guido Nahum*

EN SCÈNE *de Guido Nahum*

JE ME TIENS DEVANT TOI NUE *de J.C. Oates*

LA PAIX DU DIMANCHE *de John Osborne*

ANNE 2032 *de Hugo Paviot*

COULEUR D'AOÛT *de Paloma Pedrero*

UN HIVER DE LUNE JOYEUSE *de Paloma Pedrero*

LA FRENCH DOCTOR *de Jacques Piétri*

Achevé d'imprimer
par l'imprimerie Paragraphic à Toulouse
en octobre 2001

Mise en page EDL

ISBN 2-84523-031-1
ISSN 1248-6833

Dépôt légal 4ème trimestre 2001

LES ÉDITIONS DU LAQUET

Rue Droite, près l'église 46600 Martel
Tél. 05 65 37 43 54 Fax 05 65 37 43 55
Site Internet : www.editions-dulaquet.fr
www.theatrejosepha.com